りんごの木の下で
あなたを産もうと決めた

重信房子

幻冬舎

1973年　出産前

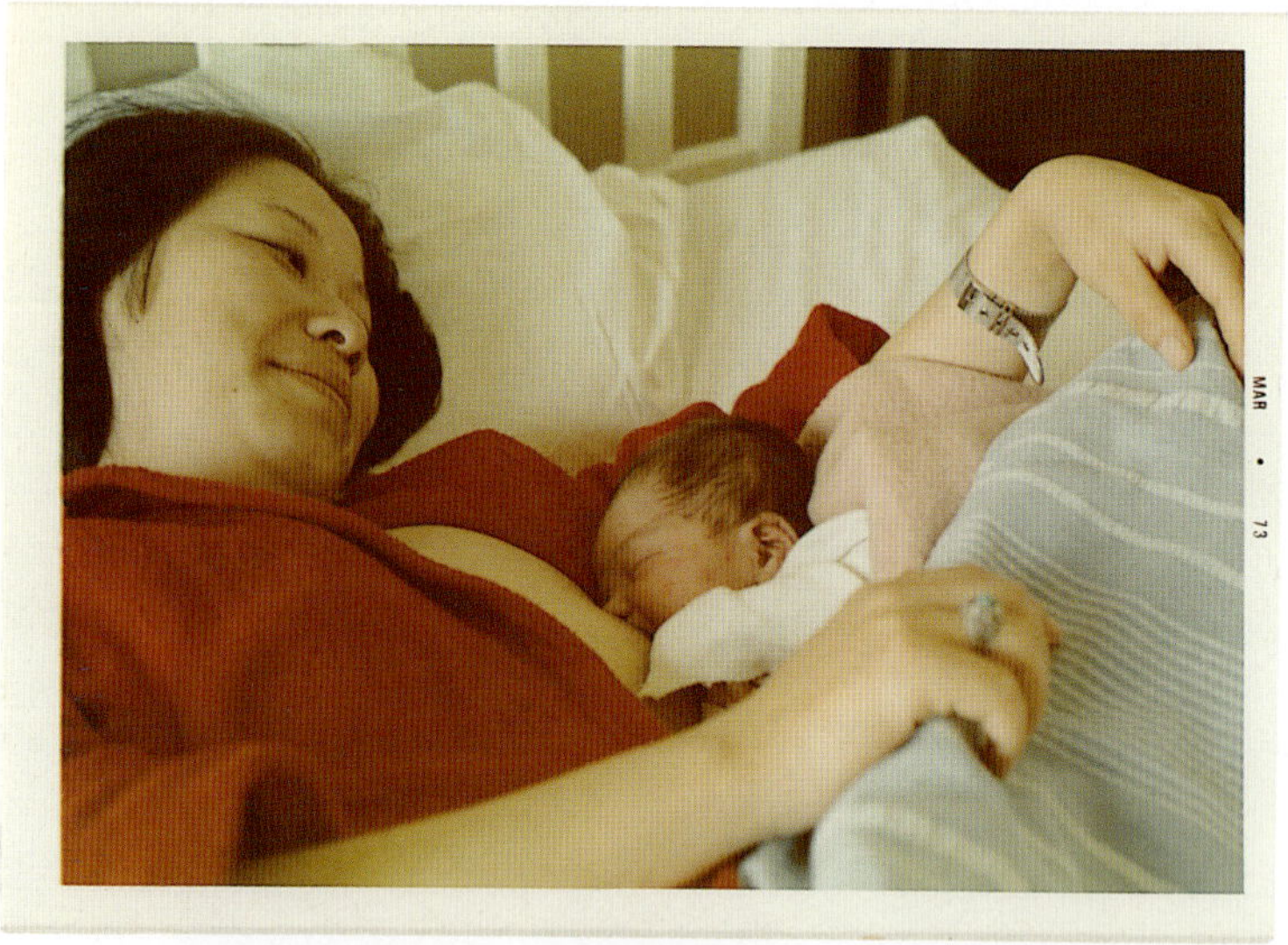

1973年

1974年

1983年

りんごの木の下であなたを産もうと決めた

本書は重信房子本人が、娘メイの国籍取得のために出生届を提出した二〇〇〇年十二月二十六日から、法務局戸籍係が警視庁に真実出生の有無を確認するための接見に赴いた二〇〇一年三月一日までの間、警視庁留置場で書き続けた法務局宛の上申書である。

りんごの木の下であなたを産もうと決めた

目次

はじめに――母から娘へ――

今、私は、皇居の濠《ほり》に面した警視庁の留置場にいます。命知らずに駆け抜けてきた私が、押し込められた鉄格子のなかで、どんなふうに過ごすのか、と見ているもう一人の自分がいます。

あなたと、新千年紀を迎えられたらどんなによかったでしょう。歴史的瞬間や記念すべき日を、愛する人とともに過ごしたいと思うのは、どの国でも、どの時代でも、すべての人間の願いです。今の私には、それは叶《かな》いません。

そのかわり私は、あなたや仲間たちとともに過ごした過去の日々を穏やかに思い描きながら、今の気持ちをこうして書いて、あなたに贈りたいと思いました。

「どんなに離れていても、思い出したい時は、月を見てね。月は、どこにいても、同じものを見ることができるからね」

あなたが小さい時から、そう言っては別れなければならないことが幾度となくありました。そんな言葉をあなたに最後に会った時にも言ったのは、『もう会えないかもしれない』という想いがどこかにあったからかもしれません。

離れていても、降る星につつまれてオリオンを見つめたかった。地中海を望むアラブの地には、日本の都会では考えられない美しい夜があります。

オリオンの星に感動したのは、私だけではありません。初めてアラブの地を訪れた奥平や安田、岡本たちも同じでした。

ベカー高原やバールベックの岩場には、名も知れないローマの遺跡が点在し、大理石で補強された洞窟が私たちの訓練場だったこともありました。

太陽が彼方の地中海に消えた瞬間から、光線の先に闇をともなうように、ひたひたと夜が訪れてくるのです。瞬く間に闇が漆黒に変わると、満天の星につつまれます。限りない数の星が光り輝きます。

高台に立つと、満天から降り注ぐ星が足下の方まで広がり、星が手に握れるような錯覚をおぼえます。流れ星がしずくのように舞い降りて、オリオン座が目線の上に輝きます。『星の王子さま』の世界です。この星空を、何度もあなたと一緒に眺めましたね。

人間など小さな存在です。歴史と世界のなかでは塵《ちり》のようで、無限大の宇宙においては、人間の営みなどすべて小さなことに思え、心が平安になれます。

もう一度、美しい星を、いつか、共に見られるのでしょうか。

あなたには、筆舌に尽くしがたい苦労を強いてきました。それが、なにゆえだったのかを、どれほどあなたに説明できていたのか、まったく自信がありません。

ある時には、小さいあなたに泣きながら心情を語り、ある時には、何の連絡もなくいつまでも帰らない母親であったでしょう。あなたにとって、一緒に遊んだり、洋服を縫ってくれたりする母親ではなかったでしょう。

私は、正式な戸籍手続きを経て、あなたが、娘として再び、私の眼の前に現れる日を夢想しながら、出生届にサインをし、今日、日本の役所に出しました。

私は五十五歳です。あなたは二十七歳。

あなたの年の頃、私はすでにアラブの地にいました。私が何を考え、どのようにしてアラブに行ったのか。そして、どのようにあなたを産み、どのように育ててきたのか。私自身の歴史を、あなたに語るべき時が来たと思っています。

これまで、アラブの社会にいるあなたに、実感のない日本を語ることはむずかしいと考えてきました。物質的には何でも手に入るのに、人間同士の助け合いや、当たり前の思いやりが欠けている日本の社会というものを、あなたは想像できないと思ったからです。

でも、今の日本は、一面では拝金思想がはびこる競争社会ですが、他面、助け合い、共に生きる伝統やすばらしさもあります。日本も捨てたものではないところがあり、もっとよく変わる兆候だってあります。日本でどう生きるかはあなた次第です。

もうすぐ母の祖国を初めて訪れるあなたへ、日本人としてこれから過ごすあなたへ、手紙を、と思ってこれを書きました。至らなかった母親の残す言葉として、これから書くことを受け止めてください。

私の歩んできた道

厳格な父と戦後社会

第二次世界大戦――日本がアジア侵略を繰り返した結果は、アメリカの不要で不当な原爆投下の欲望を正当化させました。不正義な侵略への制裁という名目で、日本は世界史上初めての原爆の洗礼を受け、何十万という国民が命を失いました。アジアの人民を含むこの戦争の被害者は、一千万をはるかに超えているでしょう。

一九四五年八月十五日、ポツダム宣言を受け入れて無条件降伏し、日本は戦争に終止符をうちました。

この戦争の間じゅう〝神様〟として絶対的な存在だった天皇が、戦争犯罪人として絞首刑となる人々と同じ運命を辿《たど》るのか、それとも、免罪されるのか、庶民は、息を呑んで戦勝者たちの裁きの成り行きを見ていたと言います。

ひもじさ。焼け出されて散り散りになった家族。進駐軍兵士による暴行（これは一種の流言飛語でしたが）への恐怖。焼け野原の東京にはそれらが蔓延《まんえん》していました。戦争中、偽りの報道で勝利を信じ込まされていたにもかかわらず、誰もが、今起こっていることを、前から半ばわかっていたことのように感じていたと思います。とにかく、生活の糧――食べて、着て、寝る条件――を得ることに、ほとほと疲れ果てるほど、毎日毎日暮らしを立てることから始めなければなりませんでした。

こうした混乱のなかで、私の母は、九州の実家での疎開生活を終え、大きなお腹を抱えて上京しました。一九四五年九月二十八日、世田谷・馬事公苑近くの家で、私は生まれました。泣き声が大きく豪快だったので、近所の人々は、男の子が生まれたと、ふれまわったようです。

三歳上の兄、二歳上の姉、私、のちに、三歳下の弟が生まれます。

私が生まれた当時、まだ社会は大混乱のさなかにありました。両親は、私と兄と姉を家において、父の考案したイースト菌を使ってパンを作って売る商売を四キロくらい離れた世田谷のボロ市通りで始めました。食料のない当時、作っても作ってもパンは売れて、大いに当たったそうです。

父は、結婚する前には民族運動を目指した人で、終戦時は少佐として国内にいたようです。そのため米軍をはじめとする連合軍に占領された日本で、家族が食べるものをまず確保するという考えから、食料品店を開くことにしました。その前提としてイースト菌のパンが飛ぶように売れたことが、ちょっとした自信につながったのかもしれません。

母の話によると、パンが飛ぶように売れていた頃のある日、子供の大きな泣き声がするので表通りに眼を向けると、つつじの花を腕いっぱいに抱えた私がワーワー泣きながら、ごった返す人込みのなか、知らない人に連れられて歩いていたそうです。

あわてて、飛び出して私を抱きかかえ、わけを聞いてみると、「お母さんに会いたい」と言いながら一人遊びで花を摘んで、いつも母と父が消えていく方角に向かって、知らない道を歩いていたようです。「奇跡的に見つけることができた」と母は言っていました。あの時代、迷子になってそのまま生き別れになってしまうことが、しばしばあったのです。一九四七年か四八年、私が二、三歳くらいだった時のことです。

当時は、人さらいだの迷子だのという話も多く、どうなるかわからない状況だったようで、子供たちのことを考えた両親は、住むところと仕事場（店）を一つにしようと、私が三歳の頃に馬事公苑から玉電上町駅の近くに引っ越し、食料品店「日の出屋」として、出発しました。

できたての家に弟も加わって、家族六人の生活が始まりました。

子供の私から見ても、父は商売に合わない人でした。わけもなくお愛想や外交辞令を言える人ではなかったのです。学問を好む人でした。達筆で、近所の表札や看板を頼まれたり、相談をもちかけられるなど、町内の知識人という存在だったかもしれません。軍服姿のまま静かに本を読みながら、店番をしていた父の姿が今も眼に浮かびます。

父は、鹿児島の士族の家庭で育ちました。咳払い一つ自由にできない厳格なしつけのなかで育ったので、子供の頃、自分の友達がその父親と寝転がって話をしている姿を見た時、たいへんうらやましく思ったそうです。そしていつか、自分が家庭をもったら、子供とは友達のような関係でありたいと、心に決めたのだと言っていました。

父は私たち子供に、友達のように接したのかもしれませんが、私たちにとって父は、たいへん威厳がある存在でした。

子供から見ると、無尽蔵の知識の持ち主で、どんな時でも私たちの質問に丁寧に答えてくれました。けれども宿題などの答えだけを知りたくて質問しても、長時間、父の話を聞かされることが多く、それは覚悟のいることでした。

朝鮮人と日本人

世田谷の私の家の裏には金持ちの家が連なっていました。そして、それらの金持ちと上町商店街の商店主とその家族、自警住宅の庶民が地域住民を構成していました。また、近所に「朝鮮人部落」と呼ばれる一画があり、そこには黒いコールタールで塗られたトタン屋根の家が連なっていましたが、そこの住民と世田谷の住民との間には社会的な交流はほとんどありませんでした。

当時、つまり一九五〇年は朝鮮戦争の勃発《ぼっぱつ》した年で、子供心にも何か異様な緊張が感じられました。近所には、夜は戸締まりしないと朝鮮人が襲ってくるかもしれないと言う人もいました。

大人の気配を察した子供たちが、朝鮮人に石を投げて遊ぶこともしばしばでした。

小さかった私は、年上の近所の子供たちの流れに乗って、そういう遊びをしていて、ある時転んで逃げ遅れ、朝鮮人の子らに追われて、恐い思いをしました。たぶん殴られてはいなかったのでしょうが、その時の恐ろしさは、殴られたかのような錯覚を生みました。

家に帰って父にその話をすると、ひどく叱られ、諭されました。

父は激昂《げっこう》することのない静かな人で、いつも論理的に物事の善悪を説明し、私たち子供に、自分の頭で良いか悪いかを判断させるような諭し方をするのです。

父は悲しげに、人間を差別することの愚かさを語り、自分がそうされたら朝鮮人の子がしたように怒るだろうと言って、日本人に非があると言いました。そうした〝遊び〟は恥ずべきことで、やめるべきだと、私たちがそう思わずにはいられないように諭しました。

金持ちか否か、有名か否か、そういう物差しで人間を計ることは軽薄だと言って父は笑い、人間の価値はいかに良心に恥じない生き方をするかによって決まるという考えを私たちに示しました。

父の言葉をかりると、正義、正直、人の道に生きること、明治生まれの日本人にはそうした共通の価値観があるのだそうです。


一九五三、四年頃でしょうか、ちょうど力道山がプロレスで活躍する頃でした。

うちの隣が電気屋で、テレビがプロレス中継をやる時は、「日の出屋」の前には道いっぱいに群衆がつめかけていました。

私は父と一緒にささやかな花壇をつくり草花を育てていたのですが、このプロレスの放送のたびに、ダリアが踏み荒らされ、芝桜、パンジーが潰され、毎日悲しい想いをして、テレビが恨めしかったものです。

姉の友人が自転車でプロレス見学に来て、その間に、私の兄が自転車を借りて遊んでいる時にある事件が起こりました。

くずれた身なりの中年男が、兄の自転車にひっかけられたので医者代をよこせと、家に入り込み、金を出すまで帰らないと粘るのです。

父は静かに兄の方を見て、「この人に、自転車をぶつけたのか?」と聞きました。兄は、「この人が、道に出てきて転んだけど、自転車は、この人に触ってもいない」と言いました。父はその男をまっすぐ見て、「お聞きの通りです。私は自分の息子に嘘をつくことを教えなかったし、息子もまた、正直者です。私は息子の言葉を信じます。ぶつかったという怪我を見せてごらんなさい」と言いました。

男は、近所じゅうに聞こえるような大声で、「人に怪我をさせておいて何だ! 金も払わねえのか!」と怒鳴りちらしたうえ、突然飛びのいて、「おひけえなすって。あっしは、関東の鉄と申しやす。関東、関東といってても広うござんす」と、啖呵《たんか》まで切るのです。

んでした。

「〇〇組を連れてくる」とか、男は夜遅くまで粘りましたが、父は、断固として退きませんでした。

翌日も男は大袈裟な包帯をして現れ、ひと暴れして看板を叩《たた》いたり、大声でわめいたり、嫌がらせを続けました。父は金を払うどころか、「私は息子の言葉を信じているから、怪我を見せなさい」と、その一点張りで対峙《たいじ》していました。近所の人々も気の毒そうに同情する以外何もできません。

数日間、そうした攻防が続いたある日、例によって男が騒ぎ始めた頃、近所の朝鮮人が三、四十人やって来て、「おい！ おまえ誰だ！ 『日の出屋』さんに文句がある奴は、朝鮮人の我々が許さない」と言って、男の前に立ちはだかり、ぐるりと取り巻いたのです。

それまで威張っていた男は、あわててすぐ土下座してしまいました。私はびっくりして、その成り行きを見守っていました。

男は土下座をぺこぺこ繰り返し「帰ります。帰してください」と言いました。

「どこ怪我したんだ！ え？ もう二度とこの辺に顔を出すなよ！ 今度見つけたらただじゃあおかないからな！」と朝鮮人が怒鳴ると、また土下座しました。

父は、朝鮮人の加勢にびっくりした様子で、無言で頭を下げてから、「いや、お引き取りください。ありがとうございます」と言いました。朝鮮人は「おたがいさまですから。困ったら、いつでも、私らにできることはしますから」と当たり前のように答えました。朝鮮人は一人が話すだけで、ほかの人は男を睨《にら》みつけて、恐い顔で突っ立っていました。

今から考えると、父のまわりには町の異端の人々が集まっていたのでしょうか？

朝鮮戦争当時、朝鮮の人が気兼ねせずに買い物ができる店として、「日の出屋」は、朝鮮人と日本人とのブリッジの役割を果たしていたのでしょう。

「『日の出屋』さんには、一度も嫌な思いをさせられたことがなかったし、それだけで、うちらはどんなにありがたいか。金のない時、つけで売ってくれた店は、『日の出屋』さんだけだった」と朝鮮の人が言うのを聞いたことがあります。

父は男に「家に帰る電車賃はあるのか？」と尋ねました。「あります。帰ります。もう来ませんから」とまた土下座する彼に、父は言いました。「日本人は恥ずべきことをしてはいけない。戦争に負けても、ここは日本人の国なのだ」と。

五〇年代の東京の風景

いつも一升瓶を右手にもって、泣きながら酒を飲んでいた近所の駄菓子屋のおじさんは、〝アカ〟だったということが大きくなってわかりました。

私自身が左翼活動をやりだしてから、父やまわりの人たちのことについて、気づいたのです。朝鮮戦争の頃というのは、日本共産党も分裂や武装闘争の時代で、あのおじさんも、そのなかで悩み、泣き、父と酒を酌み交わしていたのでしょう。

当時の私の家にはそうした人たちがよく来ていました。父と話し始めると居間兼寝室の部屋が占領されるために、母と私たちは「早く帰ってくれないかなあ……」と思うだけでしたけれど。

五〇年代の世田谷には、そこかしこにまだ水田や畑が残っていました。畑に水を引く小川の土手は格好の遊び場だったし、秋には銀ヤンマや金ヤンマが、シオカラトンボや赤トンボにまじって華麗な姿を光らせて、私たちを夢中にさせました。

糸の先につけた生きたヤンマを囮《おとり》にして、上空に回しながら、次のヤンマを狙ったりして、いつも夕方は忙しかったものです。「ごはんですよー」と呼ばれるまで、原っぱで遊びまわりました。

原っぱを隔てた一画に住んでいた朝鮮人の子供たちと一緒に、ヤンマ取りやべーごま、めんこなどで遊んだ記憶があります。

夏休みはほぼ毎日、明け方四時三十分に起きて、馬事公苑にあるカブト虫の宝庫に近所の友達を引き連れて向かいました。

空が明け初《そ》める頃、眠たそうに数人の子供たちが道を急ぎ、〝秘密の森〟の一角に着くと、土から出てきたばかりのカブト虫がまだよたよたしながら大木を登り始めているのに出会います。それを見ると眠気も覚めて、必死で大きなカブト虫を捕まえるのです。

川にはザリガニ、水溜《みずた》まりにはドジョウやオタマジャクシがたくさんいました。畦《あぜ》にはつくしやせりが生え、春になると近所の人たちとみんなで七草がゆをつくる草を摘みました。

のちの一九七〇年頃に、豪徳寺周辺の自分の学区域だったあたりを歩いたことがありましたが、すでに水田や畑はなくなっていました。今の世田谷は知りません。たぶんほかへ移らず代々住む人の多いところなので、家並みは変わっていないかもしれませんが、昔の風景を思い描くのはむずかしいでしょう。

「貧しかった」庶民の共通体験

〝家族の食を確保する〟ことを目標としてスタートした「日の出屋」は、苦しくなっていきました。高度成長に向けてスーパーのはしりのような店が次々登場し、流通変動が始まっていたなかで、武士の商法の父の店は売り上げが伸びず、私が中学を卒業する頃には店をたたみました。父の病気もあり、また都営住宅が当たったこともあって、世田谷の故郷を離れ、一九六一年、町田に移転しました。

わが兄弟たちは、分かち合い、助け合う典型的な当時の日本の家族の姿を示していたと思います。「貧しかった」という日本の庶民の共通体験のなかで育ちました。

夏休みに、小遣い稼ぎのために「日の出屋」の軒下で、兄が金魚掬《すく》いをやってみたいと言いだしたことがありました。

当時、兄は小学校高学年か中学一年生。十二、三歳くらいだったでしょう。姉はその一つ下、私は小学三、四年生で、弟は学校に上がるか上がらないかの時のことです。

子供の足で歩いて三十分以上かかる弦巻《つるまき》や用賀《ようが》の方向に、大森さんという小さな釣り堀がありました。そこで一匹一円の金魚を百〜百五十匹買ってきて、タライに放します。針金で金魚掬いの金具を三十個ほどつくって、チリ紙を糊で貼《は》りつけて掬い網をつくり、糊を乾かしました。すべて自前で金魚掬い屋をやることにしたのです。

兄はバケツで金魚を仕入れてくる役、私と姉は金具に糊をつけてチリ紙を貼りつけ、掬い網をつくる役、弟は小さかったので、見ているだけでした。

子供の遊び道具のない当時、夏休みのこの金魚屋には、近所の子供たちが大勢押しかけて、毎日大繁盛でした。一回五円の金魚掬いでしたが、子供なりにたいへん勉強になりました。あまり両面に糊をきちんとつけすぎると、チリ紙がしっかりしているために、何匹も取られてしまうのです。一回五円だから、一〜三匹までで掬い網が破れなければ商売にはなりません。翌日には、糊を片面にだけつけたりしました。

また、金魚が思いのほか早く死んでしまうことにも困りました。

商売を手伝うことが嬉しくて、私は、一度金魚の仕入れを買って出ました。ところが、近所の子供たちをたくさん引き連れていって、帰りに寄り道をして遊んで帰ったために、半分くらいの金魚が駄目になって、兄に叱られました。また、友達が来れば一回目は五円もらっても、二回目、三回目はタダという具合でした。

父や母は、そんな私たちを見守っていました。子供が自分たちの力で、何かを成し遂げること、それが嬉しかったに違いありません。

小さい時から兄はいちばんの家族思いでした。

夏休みの終わりに、「儲《もう》かったら、そのお金は全部、お父さんたちにあげようね。うちは貧乏だからね」と私たちに納得させました。兄も、姉も、きっと買いたいものがあったに違いありません。私はといえば、自分の貯めたお小遣いをプラスして、絶対に百人一首を買いたいと常々思っていました。

小学校の一年から百人一首が大好きでした。百首を暗記しており、夏でも、百人一首をもっている友人の家に行っては、やっていたので、ぜひ欲しかったのです。

でも兄の言葉に私たちは納得して、二千円か三千円くらいでしょうか、当時としては多額の金魚掬いの収入を、兄から父に渡すことにしました。

父も母も「それは、お前たちが働いてつくったお金だから、自分のものを買いなさい。気持ちだけは嬉しいし、誇りだ」と言って、お金を兄に返しました。

夏休みも終わりの頃、そのお金を握りしめて兄弟四人は渋谷の東横デパートへと向かいました。皆、ウキウキしていました。私は断然百人一首。ほかの兄弟も、いろいろテーマがあったと思いますが、私は今、自分の希望した百人一首しか思い出せません。

東横デパートのオモチャ売り場は、魅力いっぱいでした。美しいオモチャ、ミルク飲み人形とか、時計とかを見て、ため息をつきながら一周していると、アメリカからの輸入品コーナーに、〝シネコルト〟というピストル型の幻灯機がありました。

機器・機械が大好きな弟は、〝シネコルト〟に釘付けになっていました。弾を撃つたびに、幻灯機のなかがカチャカチャと音をたてて変わり、そこに絵が映し出されます。モダンなデザインは、私たちを魅了しました。五十年近く経《た》った今でも、その〝シネコルト〟という名が忘れられません。

弟は「これが欲しい」と言い、それは、ちょうど金魚掬いで稼いだ総額に等しい値段でした。そして、何も労働しなかった弟が、そんなことを言いだしたので、私は自分の百人一首が買えないかもしれないと、たいへん焦りました。

ぜんまいの飛行機とか、学習用のミニ黒板だとか、弟に「こっちにしようよ」と、私と姉で説得し、「じゃあ、これを買って帰ろうね⁉」と念を押すと、「だけど、僕、〝シネコルト〟が欲しい」と、また戻ってしまうのです。

何度も繰り返しているうちに、兄が「いちばん小さい子が、これが欲しいと言うのなら、買ってあげよう。僕たち三人が我慢すればいいじゃないか」と言ったのです。兄の言葉で、私もしぶしぶ承知して、結局、〝シネコルト〟だけを買って、玉電に乗って帰りました。私は、百人一首の美しい箱を手に入れることができなかったのが、とても心残りで、たぶんふてくされていたことでしょう。

家に戻って、弟の〝シネコルト〟を買った顚末《てんまつ》を語ると、母はニコニコと笑い、父は「兄弟とは、そうして助け合うものだよ。おまえたちはいい選択をした。大人になったら、そうしたことの貴重さもまたもっとわかるよ」と言って、私たち全員を誉めてくれました。弟は、早速、包みをほどいて楽しげに無心に〝シネコルト〟を組み立て始めました。

そんなふうに育ったものですから、学費値上げに反対して私が学生運動に参加した当初は、兄弟は私の理解者でした。しかしそれ以降、赤軍派、アラブ赤軍、日本赤軍と変化していく過程では、度を越えたやり方と思ったようで、賛成しませんでした。賛成しなかったばかりか、マスコミによる糾弾や脅迫状などの世論の暴力に、家族、兄弟として名乗ることすらむずかしい関係に至ってしまいました。

キッコーマンOL時代

大学は金がかかるだろうと、はなから断念して、高校を卒業してキッコーマン醬油株式会社（現・キッコーマン）に就職しました。

キッコーマンという会社は、野田争議（一九二七〜二八年。千葉県野田市の野田醬油会社〈キッコーマンの前身〉の労働争議）を経て、会社の経営陣と労組が協調する態勢ができあがっていました。

労組委員長は出世コースなのだそうです。入社する時から考えていた希望と、現実の落差にがっかりすると同時に、高卒で夜間大学に通っている人がいるのを見て、私は大学の可能性を知り、その点でキッコーマンに入った意義は大いにありました。

私は野田にあった文芸サークルに入り、会社の御用組合に参加し、会社の主催する教室でお茶とお花を習い、食品課でデルモンテ製品の販売に頭をひねり、と積極的に過ごしていたものの、どこか満たされない毎日でした。

キッコーマンに入って早々、ひと悶着《もんちゃく》ありました。

入社試験が終わり、合格通知を受け、研修が始まりました。研修では、キッコーマンの歴史を学び、工場を見学し、「期待される人間像」の話などを聞くのです。歴史と、工場見学はたいへん学ぶところが多かったのですが、「期待される人間像」については、「修養団」というところから、年寄りの男性講師が来て、「女性は、しとやかに笑うこと」「いつも男から一歩下がって、伏し目がちに」などの処世術の話ばかりでした。

私が聞きたいのは、人間とは何か？　いかに生くべきか？　といった人間の本質的な話であり、処世術ではありません。

同輩たちのなかには「古いわねえ」「笑わせないでよ」などと、陰で啖呵を切っていた人もいましたが、感想文を書かされたあと、私だけが総務課に呼ばれました。

「『結構なお話でした』と書いてなかったのは、君だけだ」と言われて、びっくりして、遅ればせながら、世間というものを悟りました。

ああ、そうか。思ったことを思った通りに言っても通用しないのが、世間なのか！

皆は、それを知っていて本音と建前を使い分けたのか。

『でも、私は、本音と建前の二つの顔をもつ人間にはなりたくないし、ならない。それは、自分を偽ることでしかない。人の言うことを聞く耳をもち、しかも、自分の思ったことを言える社会でありたいし、そういう自分でありたい！』と強く思いました。

その後〝世間〟にできるだけ本音で、自然体で向き合いながらキッコーマン醤油株式会社の社員を楽しみました。

女性は会社で力を出せない

当時のキッコーマンの高卒の女性は、能力に応じて配置されるのではなく、おもに業務補佐的な役割を与えられていました。

受付、お茶汲《く》み、電話交換手、帳簿集計など、比較的女性の仕事は限られていましたが、私が配属された食品課は少し違いました。

商品の輸出ばかりではなく、アメリカに生産基地をつくり、アメリカの大豆を使って、アメリカで醤油を生産することを会社が考え始めていたためです。

その提携先としてデルモンテを選び、国内でデルモンテ製品の販売をキッコーマンが引き受けるという構想で、三井物産、デルモンテ、キッコーマンの三社に、博報堂が広告キャンペーンで参加し、デルモンテ製品を販売する態勢をとってスタートしたばかりの課だったのです。

デルモンテ・ケチャップのラベルを送ってきたら、先着一万名に、シームレス・ストッキングを進呈しますというキャッチフレーズで、「デール・デルデル・デールモンテ！」のコマーシャルソングを選んだり、スーパーにディスプレイをおいてもらうよう交渉したり、アイデアを活かせる部署ではあったのです。

シームレス・ストッキングは、当時としては、やっと普及し始めたファッション・ストッキングで、それまでのストッキングは後ろに縫い目（シーム）が入ったものでした。

課では、今みんなが欲しがるもの、手ごろなものは何だろうと話し合いました。「断然、シームレス・ストッキング！」という、課の女性のアイデアが受け入れられて、先着順にプレゼントすることになったのです。

ところで、先着順ということで、ラベルを一枚送ってくる人もいるし、二十枚くらい送ってくる人もいるし、まちまちです。公正取引委員会の基準に合うように「毎月先着〇〇名様」としてはいたけれど、実際は、一枚ラベルを送ってきても、二十枚でも、もれなく各一足のストッキングを送ることにしていました。

本当は、それは違反でしたが、次も商品を買ってもらうという意味では名案でしたし、そちらの方がはるかに対処しやすい方法であったと思います。

大企業というのは、必ず公正取引委員会や、商法や、法的な基準からみてどうか？ をまずよく把握しながら、法に触れない範囲の仕事の仕方を心得ているものだと感心したものです。

私は楽しんで働いていました。しかし販売に関する取締役会議向けに、全国の出張所の月々の売り上げ集計を出すのにさまざまな工夫をして、逆に叱られ、びっくりしたこともあります。

各出張所の集計は本社に郵送で送られてくるために、販売に関する役員会議はいつも一カ月前の数値で行われていました。

私は、現実にいちばん近い数字の方が役員会議にふさわしいだろうと思い、各出張所に、役員会議の三日前までに電話で数値を言ってくれるように再編し、あとで正式の書類を送るように依頼しました。

その結果、アップデートの数値が集計されるようになり、私としてはいいことをしたと思ったのですが、総務から余計なことだ、前に戻すようにと叱られてしまいました。

慣例を大切にする、電話の数値は信用できない、など、自分の工夫が通用しない体質の旧《ふる》さにがっかりしました。

他の同期の女性たちも、身近に意欲をかきたてられる回路がないぶん、イヤミな上役や、セクハラっぽい課長や仲間の悪口を言ったり、恋人にふさわしい男はいないものかと物色したりするなど、話題は日々貧困にならざるをえません。

能力も意欲もある十八歳からの女性に、希望と、目的意識を引き出すような条件があれば、いくらでも力を発揮するだろうことは、明らかでした。

社会や男性たちの眼は、働く意欲をもって入ってきた若い女性たちを、補助や恋人代わりとして物色する程度にしか見ていない。

こうしたなかで、私は、夜間大学に通う高卒の社員の話を聞いて、自分の給料でも大学に行けるということを知りました。小学校か、中学校の先生になりたい！　という諦《あきら》めていた夢をもう一度拾って、自分の意欲と意志に正直に生きていける道を取り戻そうと考えました。

大学に行く道が、今からでもあるんだと思うと、嬉しさでいっぱいでした。

私でも大学に行ける。自分の働いたお金で、大学で学び、夢を実現できる。働きながら、希望の目標を定めて、私は生きがいを実感していたと思います。入試のための勉強をしなくても行けて、かつ授業料が安く、地理的にも受講時間に間に合う大学ということで、明治大学二部を選びました。

学生運動へ

学生運動との出会いは、一九六五年、明治大学の入学式より前のことです。

合格通知を受けて、入学金を払い込みに駿台《すんだい》（駿河台）を訪れた時、お茶の水の大学院校舎前、いちばん人通りの多い一角に、マットレスを敷いたよれよれの身なりの男たちが、ハンドマイク片手に座り込んでいました。

何事かと話を聞いてみると、学費値上げ反対闘争に立ち上がった上杉君という学生が、退学あるいは除籍処分になったことに対し、復学を勝ち取ろうという座り込みでした。

しかも、本人たちのためだけではなく、次の世代の人々のために、学費値上げに反対して処分を受けたというのです。

キッコーマンにいた時からのマナーで、スーツを着てお化粧をし、きちんと格好つけたいでたちの私に、「一緒に抗議に座りませんか！」と呼びかけてきました。断る理由もなくて思わずそこに座った、というのが、私の学生運動の始まりです。

そう、断る理由もなくて共同し、共同のなかから何かを見出してもう一歩進んでしまう……そんなふうに、私自身の学生運動は、どんどん深くなっていったように思います。

一〇・八　羽田闘争

当時の学生運動は、六〇年安保を経験した化石のようなオジサン（とはいっても、五、六歳しか違わなかったけれど、当時の年齢感覚でいうと、越えられないほどの年の差のように感じました）が数人いて、印刷機のインクの匂いがあふれる、雑然とした自治会室の薄暗いアジトに陣取っていました。

一〇・八羽田闘争（一九六七年。佐藤首相の東南アジア訪問阻止闘争。学生一人死亡）の日、私はブント（「同盟」の意。共産主義者同盟の別称）の隊列の後方に救対（救援対策部員）ということで控えていたのですが、「走れ！　走れ！　走れ！　羽田はすぐそこだぞ！」と励まされて、角材一本持っただけの身軽な連中と一緒に、人々の荷物を肩や両手に抱えた不利な条件の救対部の私たちも、突撃隊に殴り倒され蛙のようにのびた機動隊員が、高速道路のあちこちに散らばるのを踏み分けながら、必死に疾走したのです。

どう先導隊が誤ったのか、渋谷方面へと間違った方向へ突っ走っているらしいとわかった時には、機動隊に挟み打ちされ、メッタ打ちの逆襲に遭い、高速道路の上から飛び降りる者、頭を割られる者、逃げ延びる者、とさんざんの体たらくでした。

運よく私は、頭も割られず、打撲傷だけで血の海のなかにひっくり返っていたのですが、起き上がりざま殴りかかってきた機動隊員に、「この死んだ人たちを、どうしてくれる⁉」と叫んだところ、相手もひるみ、ちょうど走ってきた公団の心やさしい運転手さんの協力を得て何十人かを病院に運び込み（その人は名も告げず、多額の金を病院代にと差し出してくれました）、朝になって自宅に戻りました。

家に入りざま、敵のめちゃくちゃな所業の数々を家の者たちに話しまくり、意気揚々とお茶一杯飲み干した時、父がなんとなく厳かな感じで、昔の話をしてくれたのです。

「いや、房子、本気で革命をやるなら、あのようにやってはいかん。まず民心を重んじなければならぬのが第一。民族の心を知らぬ者が世界革命を唱えても、それはコスモポリタンにすぎぬ。井上日召《にっしょう》は一人一殺主義と言われているが、そうではなく、一殺多生と言ったのだ。一殺多生は一人ではできぬ」と。

一九三二年の五・一五クーデターは、まず陸上部隊が発電所を破壊して、東京を暗黒状態とし、それを合図に海上部隊が砲撃し、要人逮捕というプランを立てながら、電気が消えず、計画が長引き、敵に包囲され敗北したというのです。

「やたらに発電所を破壊せずとも、スイッチを降ろせばよかったのだ」と、父は非科学的な作戦を惜しむような口調でした。

しかし、五・一五クーデターで父がどういう役割を果たしていたのか、その辺はさだかではないのです。

一度、私が卒論のために入手したみすず書房の資料集のなかから、教え子（父は昔、寺子屋のようなものを全国につくり、人々を集めていたようです）で、死刑になった人の上申書を見つけて読み、涙ぐんでいたことがありました。

日本だけでは革命は起こせない

あまり話したがらない父。

父の前歴は知らなかったけれども、子供の頃、父と子の対話の中心は、人はどのように生きるべきかということ、そして天下国家を語ることでした。「物知りにだけは、なるな」と、茶碗一杯の焼酎を静かに飲みながら、いつも遠くを見るような眼で語った父の面差しが今も浮かびます。

こうして一〇・八羽田闘争の翌朝、父の話を聞いてから、私は一つの疑問についていつも考えをめぐらせていました。

民族の未来を憂えた日本の民族主義者は、抑圧者として残るか、父のように市井の人となってしまうか、のどちらかでした。それにくらべて中国や朝鮮、ベトナムなど被植民地の民族主義者は、共産主義者として革命を志向し続けました。それはなぜなのか。

私は民族主義者の限界を感じていたのです。だから世界との連帯を目指す、国際主義者になる、と。自分は限界を超えたいのだと父に言いました。

鼻息荒く、世界だの国際主義だのを対置して父をとまどわせ、反論を食らい、それでも世界レベルで語ることの意味をよく吟味せずに振りまわし、密《ひそ》かに、日本だけでは革命は起きないという日和見主義的確信を抱いていました。

赤軍派になってから、ますます父の意見を反動的なものとして、退けるようになりました。けれでも、父と娘の対話は熱意に満ちたもので、父の哲学は私の心に沁《し》みわたりました。

た。

「家族に話をするのは、家族帝国主義との妥協である」などというわけのわからない批判、「家族と縁を切る」という同志たちの強がりに対して、私は、家族とともに信じ合って革命をやるべきだという論をもちつづけ、また家族に励まされてきたと思います。

特に父は、娘を信じるがゆえに、心強く励ましつづけてくれました。

「ちょっと仕事の都合で、外国へ行ってくるからね」と旅立ちを告げた時、母は、明るく、着ていく洋服のこと、持ち物のことに気を配ってくれ、父は、「やすやすと帰ろうと思うな。しっかりと頑張れ」と言いました。もう会うことのない娘の旅立ちを理解していたように思います。

旅立って以降、家族から手紙は来ませんでした。「家族が手紙を書けば、房子に要らぬ気をかけさせる。誰も出すな」と、父の指示が家族にあったということを私はあとから知るのです。

私と父の関係は、学生運動を通して、新たな出発を見た気がします。

そうして、いろいろな折に、父の信条を、信念にしている自分に気がつきます。

アラブでは「英雄」でも日本では「テロリスト」

アラブで私たちは、パレスチナ解放のために闘っている仲間であり、「英雄たち」として遇されています。

三十年前、アラブに仲間とともに来て以来、私たちは、アラブの地と人々にとって大切なこと、必要とされていると感じたことを、正義として実現しつづけてきました。私たちの小さな力では、それに応えることすら十分にできないのに、アラブの民衆と政府から過分な感謝を受けながら、アラブの人々と同じ権利を得て過ごしてきました。

けれども、そのことは西側諸国の価値と一致していたわけではありません。

私たちの存在と闘いはアラブの大義に適《かな》っていても、しかしそれは、アメリカをはじめとする西側諸国、そしてアメリカに追随する日本政府にとっては、受け入れることのできない「テロ活動」だったのです。

私たちは、いつでもアラブの民衆の側に立とうとしていました。

それが必ず、日本の民衆の側に立つことになるはずだと考えていたからです。

そして、パレスチナ解放勢力が、アラブ諸国やソ連・東欧で、一定の地位と役割をもっている限りにおいて、アラブの民衆の側に立ちながらも、政府などの支援も得ていました。

たぶん、私の娘であるあなたは、きっととまどうでしょう。リッダ空港襲撃作戦（リッダ作戦、リッダ闘争ともいう。後述）の結果、日本にいる私の家族や祖母までもが「人殺し、死ね！」と数限りない脅迫と、マスコミの暴力に苦しめられてきたという事実を知ったならば。

アラブにいた頃、ピクニックのように私は子供のあなたを同伴して、あちこちの有名・無名の人と会っていました。そしてあなたはその家族と一緒に遊んだり、けんかしたりしていましたね。

彼らは社会的にも〝立派〟な人々でしたし、アラブの社会にいるそういう日本人を見てあなたは育ちました。

九〇年代に入って以降、つまり東欧が崩壊し、湾岸戦争が始まり、中東和平をめぐる交渉のなかで、当時のアメリカの国務長官ベーカーが、名指しで「日本赤軍の保護をしないように」というメッセージを送りました。

日本赤軍だけではなく、西側の望まない西欧の革命グループや解放組織も同様の扱いを受けました。

以降、急速に世界は変化していきます。アラブのどの国も、ソ連という後ろ盾を失って、自分の国の国益と私たち日本赤軍を引き換えにするかどうかを問われました。

私たちは敗北した

私たちは時代の変化を自覚していました。そして私たちの方から、アラブの友人たちに「国益を取るべし」と提言しました。アラブの友人たちと敵対関係になる愚《ぐ》は避けるべきでしたし、彼らの責任ではなく、時代が変化したのですから。

あくまでも正義と公正の友でありたかったのです。

もはや人民勢力と政府・友人が〝保護と協力をし合う時代〟は終わったことを、アラブの政府、友人たちに告げ、国益を取ることを促しました。

アラブの各国政府が、国際政治の力関係から、日本赤軍を守ることができないのなら、私たちは、アラブの政府の友人としてではなく、アラブの民衆の友人として、アラブにいる態勢をつくらざるをえません。

日本で考える民衆と国家との間にある距離は、万里の長城のごとく長い。

アラブでは、民衆の反イスラエル感情が強いぶん、政府もまた共通の感情をもっていて、民衆運動である限り、政府は人民勢力をバックアップします。

民族主義政権には、その進歩性も、古典性もあります。そのぶん、反動的な考えもあると思っていたので、協力できるところで協力し合う関係は望むものの、それ以上の同情は、私たちは望んでいませんでした。

西側から「テロリスト」と呼ばれる時代になった以上、七〇年代、八〇年代のように正義と公正を求める共同の条件はつくりえないと思ったのです。

社会主義諸国の崩壊は、アラブ地域では、大きなショックで迎えられていました。それほど解放運動や反イスラエルの政策を、ソ連・東欧諸国が支援していたのです。ソ連・東欧の敗北は、一言でいえば、国際共産主義運動自身が、社会主義の本質である人民主権を実現できなかったことにほかなりません。

人民主権は、民主主義が人民の手にあって育つものです。結局、その国の住民の希望や幸福を実現できなかった結果、敗北したと言えます。

そして私たちもまた、同様に敗北したのです。日本人民とも出会えず、パレスチナ・アラブ側に依拠・依存した闘いでした。

映画をつくったり、医療面での連帯もありました。でもアラブにとって、今も輝く国際連帯の金字塔は、「リッダ空港襲撃作戦」です。しかも日本では、百八十度違う評価、「テロ＝人殺し」としてしか伝えられていません。

「英雄」と「テロ」のコントラストは、アラブにおける「英雄たち」である日本赤軍と、「テロリスト」日本赤軍という相反する二つの姿を生んできました。私たちにとっては、その両方が実像であり、虚像でもあります。

パレスチナの歴史とともに

あなたは小さい時からアラブに育ち、アラブのこと、パレスチナのこと、イスラエルの侵略のことをアラブの民族教育として受けたからよく知っていますね。日本の人々は、そんなことは知りません。

育った土地、物心ついた時から行き交う人々との関係は、ふるさとをつくります。その意味で、私のふるさとは日本です。両親、家族――なつかしく、まぶしい、心のよりどころであるのは、ずっと変わることがありません。

あなたにとってのふるさとは、アラブなのでしょうね。そんなあなたが、私の祖国日本に来たら、日本の人々にアラブのことを語り、きっとアラブと日本のかけ橋となってくれるだろうと思います。

私の話の前提として、アラブ・パレスチナの状況を少し説明したいと思います。

一九四七年十一月二十九日、国連は第二次世界大戦の戦後処理の一環として、パレスチナ分割決議案を採択しました。その時からアラブ・パレスチナ人対ユダヤ人（イスラエル）の内戦が始まりました。

第一次世界大戦中、イギリスがパレスチナを占領していた時、あるいは戦後、植民地として支配（名目上は国際連盟に委任されて統治）していた時に、一九一七年十一月のバルフォア宣言に示されるように、パレスチナ人が住んでいたパレスチナにユダヤ人の国をつくることを、イギリス政府が秘密裏にユダヤ人に許可したことが、そもそもの始まりです。イギリスは植民地政策のつじつまが合わなくなると、委任統治権の放棄を表明して、パレスチナ問題を国連に委《ゆだ》ねました。

国連がパレスチナを二つの国に分けて、ユダヤ人の国とアラブ・パレスチナ人の国をつくろうと決議したことから戦争が始まり、二十世紀を超えて、二十一世紀の今もその解決を求めて、同じ戦争が続いています。

一九四八年五月十四日、イスラエルは建国宣言を発し、五月十五日から中東戦争が一カ月近く続きました。日本もまだ米軍をはじめとする連合軍の占領下にあった時代で、私が三歳の頃です。

この戦争状態をきっかけとして、アラブ民族運動（ANM）が結成されます。これは、のちのパレスチナ解放人民戦線（PFLP。アラブ民族運動のなかから生まれたパレスチナ人の勢力）の議長になるジョルジュ・ハバッシュや、PFLPの国際部で国際遊撃戦を組織するアブ・ハニたちが、レバノンのベイルートの学生運動のなかから結成した組織でした。

一九四九年に中華人民共和国が宣言され、一九五〇年代は東欧の社会主義革命をめぐって、第二次大戦中は連合軍として共同戦線を組んだソ連とアメリカが冷戦・対立していく時代でした。

かつてのイギリス・フランスなどの植民地は、次々と政治的独立を果たしていきます。民族自決——自分の運命は自分で決めるという民族解放の闘いが活気づいていきました。

日本は、アメリカの占領支配下で、戦犯を裁かれ、財閥を解体され、いわゆる〝民主化〟がなされていきましたが、中国革命、朝鮮戦争で流れが変わりました。

日本に、アジアにおける反共防波堤としての役割を負わせるために、アメリカは、戦犯（自民党の政治に連なる人々。岸信介など）を釈放して、彼らを親米勢力として協力させながら、日本再建を目指していきました。

そんな頃からずっと、アラブ・パレスチナと、イスラエルの戦争は今に至るまで続いています。

民族自決の運動の流れに乗って、エジプトで、ナセルの反植民地自由将校団のクーデターが成功し、アラブの反植民地の闘いは爆発します。

さらに、ナセル・エジプト大統領が、一九五六年、スエズ運河の国有化を宣言したことで、イギリス・フランス軍がエジプトに進軍し、第二次中東戦争、いわゆるスエズ動乱が始まりました。イスラエルが、イギリス・フランス軍の側に立って、戦争の最先端を担ったことは言うまでもありません。

こうした流れのなかで、パレスチナ解放運動が、反植民地の民衆運動として活発になり、ANMに続いて、パレスチナ民族解放運動（ファタハ）が結成されました。

一九六七年に第三次中東戦争。イスラエルは一方的攻撃で、アラブ各国の空港を破壊し、アラブの領土をさらに占領し、六日間で戦争は終わります。

イスラエルは、パレスチナ人の住むエルサレム旧市街地の併合を宣言しました。今に至る和平交渉のネックの一つであるエルサレム問題は、このイスラエルの併合宣言から始まったのです。

この時、国連の安全保障理事会は、安保理決議二四二を採択しました。イスラエルが、無条件にアラブの占領地から出ていくように求めたものです。

三十四年後の今も、この決議は守られていません。イスラエルは、エルサレムも、ヨルダン川西岸も、ゴラン高原も、すべて占領し、この時に不当な侵略として糾弾されながら、返還していません。

なぜ、そうしたことが許されているのでしょうか？　ユダヤ資本が、大きな影響力をもつためです。アメリカや欧州の政権は、ユダヤ資本の後ろ盾をあてにしているので、イスラエルに制裁しないのです。

こんな不公平ってあるでしょうか？　こういう不公平のまま、パレスチナの悲劇の歴史が続いているのです。

第三次中東戦争で、アラブの民族主義を唱える各国政府が、イスラエルの不正義に太刀打ちできなかったことに、アラブ・パレスチナの民衆はがっかりしました。そして、自らの力で、解放を求める動きを活発化させました。

一九六八年、ヨルダンのアル・カラメ村で、アラファト議長の率いるファタハが、イスラエル軍と銃撃戦を行って、イスラエル軍を撃退しました。

ベトナム解放戦争のように、そして、チェ・ゲバラの闘いのように、世界の解放戦線の影響を受けながら、人民武装、人民戦争が始まりました。

パレスチナの民族解放を求める勢力は、一九六九年、アラファトをパレスチナ解放機構（PLO）の議長として選出し、パレスチナ解放を目指すさまざまな勢力が一つの機構のもとにまとまりながら、イスラエルに対抗して、自らの力で闘うという人民戦争を宣言します。

「占領されたわが祖国パレスチナの全土解放を自らの力で実現する」と、PLO憲章は、パレスチナ民族の意思を宣言しました。

「抑圧された人民の語る言葉は銃以外にない。我々は、祖国を追われつづけている。世界は評論するけれども、家族や兄弟が死んでいく我々の命に、果たして涙を流すだろうか！我々のヒューマニズムは、銃以外にない！」

これはその時の宣言の一文です。人々は怒りとともに、自分が犠牲になっても民族の祖国を取り戻すために闘うという想いに駆られていました。

ゲリラ戦士のことを「フェダーイ」とアラブでは言います。「フェダ」とは、「犠牲」を意味し、「フェダーイ」は「犠牲を厭《いと》わない者たち」という意味で、「兵士」と呼ばれます。私たちが自らを「赤軍兵士」だというのも、〝犠牲を厭わない人〟として闘った先達、リッダ闘争に参加した戦士たちを想うがゆえなのです。

一九七一年三月・ベイルート

私がレバノンの首都ベイルートに到着した一九七一年三月一日、アラブでは、厳しい転換の時を迎えていました。

その一年前の一九七〇年、ヨルダン軍とパレスチナ兵士が衝突しました。PFLPが、ヨルダンの砂漠の旧い滑走路に、旅客機四機をハイジャックしてきて、革命飛行場作戦を行いました。

イギリス、スイス、アメリカ、ドイツの乗客を降ろして、仲間の釈放を要求し、砂漠で、飛行機を炎上させ、要求を実現しました。

西側政府に同調したヨルダン政府は、その後、全土に戒厳令を敷いて、パレスチナ勢力の弾圧に乗り出しました。「ブラック・セプテンバー」(「黒い九月」汚れた弾圧の九月という意味。アラビア語では、「アイロール・アスワッド」)と呼ばれるヨルダン内戦が、九月六日から始まりました。

この時、フセイン国王親衛隊のベドウィンたちが、「右手狩り」という野蛮な行為によって、千人以上のゲリラ戦士の右腕を切り落としました。ゲリラ戦士が二度と銃を握れないように右手を切り落とすという空前の弾圧を行ったのです。

この時期の弾圧のことをいう「ブラック・セプテンバー」は、のちに、ファタハの遊撃軍事組織名（本書では以下組織名は「黒い九月」と呼びます）として記憶にとどめられ、闘いつづける人々の呼称となりました。

私がベイルートに着いた頃、その弾圧への抗議として「手」という映画がつくられ、上映されていました。

レバノンには、当時四十万人近いパレスチナ難民がいました。祖国を逃れてきた人々が、レバノン政府と国連の指示に従って、一九四八年以来テント生活を続けていました。

しかし、彼らはいくら待っても祖国に帰れません。それでも指定された空き地にブロックの小屋をつくって定住し、待ちました。

人と人が結婚し、子供が生まれ、育ち、社会ができて一つの村、共同体が生まれました。商店もあり、学校もあります。

人民の解放勢力のおかげで、難民キャンプの自治と自決・自衛が少しずつ成長していきました。

自分の力に依拠して闘い、難民として生きることを強いられた人々のなかに、私は闘いの場を求め、アラブに入り込みました。

キャンプで共に過ごすなかで、彼らの実像を見ました。

国連の小麦粉の配給の時など、人々はパンを焼くために、より多くの小麦粉を得ようと、われ先にと殴り合い、利己主義的な争いを繰り広げます。そうでありながら昨日空爆で死んだ人のために抱き合ってむせび泣く——私はイスラエルの暴力を呪いました。

生活の苦労も、利己主義も、生きることの悲しみも、まるごと民族のもの、〝民族の生〟を求めるがゆえに、剝《む》き出しに生をぶつけ合う、そんな姿がありました。

少し前まで、日本で過ごしてきた日々を思うと、頭のなかで是非を問い、身は喫茶店のソファーに沈めて、マルクスを語るような安易さをはるかに凌駕《りょうが》している現実が、この地にありました。

私がベイルートに来た一九七一年は、七〇年の「ブラック・セプテンバー」の弾圧を経て、ヨルダンを逃れ、レバノンを闘いの総本山としようとする人々が続々とベイルートに押し寄せてきていました。ベイルートは活気づき、解放を求める舞台へと生まれ変わっていく時だったのです。

私がアラブを選んだ理由

日本であなたが生活を始めたら、なぜこの便利な日本からわざわざアラブまで？　と不思議に思うでしょう。

私だって初めから〝反イスラエル〟〝親アラブ〟だったわけではありません。

でも三十年前の日本にとってのパレスチナ問題は、今よりはるかに社会的に身近であったと思います。ベトナム戦争に反対して、社会正義を求めている学生を中心とした若者たちの活動があったからです。

世界的なベトナム反戦の運動が高揚するなか、一九六七年の第三次中東戦争もあって、パレスチナ問題は、欧州・地中海地域では大きな問題だったのです。

アラブ国家に依存していたパレスチナ勢力は、自らを武装し、自らの力で、占領された土地を解放しようと立ち上がりました。彼らは、ベトナム解放戦争に呼応し、世界で反帝国主義・反植民地独立運動として起こっている正義に基づく闘いの流れに、合流したのです。そしてパレスチナ革命は、反帝反植民地の、民族を解放する闘いとして、日本にも伝わったのです。

特に私の属していた共産主義者同盟（ブント）は「国際主義と組織された暴力」をスローガンとし、ラジカルな闘いを目指していました。そしてなかでも、最も「攻撃型階級闘争」として、それを実現しようと行動を開始したのが赤軍派です。

世界革命の党と軍の根拠地をつくり、その力をバックに、日本の革命を実現するという「国際根拠地論」。

まず世界各地に根拠地をつくろうとしました。もちろんこれは、日本に革命を起こすために、国際社会にその根拠地をつくろうというものですから、日本中心主義の産物だったということができます。

その最初の作戦が「よど号」ハイジャック（一九七〇年）でした。けれども仲間を送り出したあと、集会はおろか、満足に外を歩けないほどの刑事弾圧を受けました。

このままでは闘えない。

私たち赤軍派の言っていることが正しいのかどうか。

闘いを見直すためにも『外に行こう』と強く思いました。

そして、「よど号」ハイジャックの教訓として、国のない場所——これから国を建てようと闘っている地域に行こうと思ったのです。

パレスチナ解放闘争は、帝国主義に対抗する闘いなのだ。そのことに私たちは注目したのです。武装闘争をしている点が、私たちとの大きな共通項としてありました。「武装闘争こそが新しい地平を拓《ひら》く」

ですから一九七一年にベイルートに行った当時は、抑圧された第三世界の民族解放闘争であることは理解していましたが、それ以上の深い知識はありませんでした。

ナチ・ヒトラーとパレスチナ人

私がベイルートに着いた一九七一年は、アイヒマン（ナチの親衛隊中佐、戦犯）裁判からちょうど十年経っていました。

一九六〇年イスラエルの秘密機関にアルゼンチンで誘拐・逮捕されてイスラエルに連れてこられたアイヒマンは、六一年に裁判にかけられ、ユダヤ人大量虐殺に関係した重要人物としてその責任を問われました。

自己弁護のためにアイヒマンは言いました。

「私はシオニストの友人だ！　シオニスト協会と協力して、シオニスト協会の提出するリストにあるユダヤ人（キッシンジャーのような人々）は、アメリカなどに移民させるのを手助けした。シオニストと合意の上で、ユダヤ人を収容所に送っただけで、私はシオニストの友人だ」

私は、アイヒマンの弁明に、びっくりしたことを覚えています。

欧州は、ナチ・ヒトラーのユダヤ人虐殺で、もともと深く傷ついている地域です。ナチ・ヒトラーの罪を自覚するがゆえに、ユダヤ人を支持、支援する人々は多いのです。

しかし、その後、状況は大きく変わりました。イスラエルのユダヤ人のパレスチナ人に対する振る舞いは、かつてヒトラーがユダヤ人に行った振る舞いを想起させます。今度は、ユダヤ人を告発しないわけにはいかなくなりました。

パレスチナ解放の闘いを支持・支援する欧州知識人は、かつてのユダヤ人問題を反省し、ユダヤ人がパレスチナの人々を抑圧・侵略することに反対しているのです。

奥平、安田、岡本——日本赤軍の誕生

私たちの参加はリッダ作戦から始まりました。

リッダ空港（テルアビブ空港）襲撃作戦とは、一九七二年五月三十日、戦時下のイスラエルの空港襲撃を目指して、パレスチナ解放組織の一つであるPFLPの義勇兵として、日本人三名が参加した作戦のことをいいます。

学生運動がエスカレートするなか、共同武装闘争を求めて決起した人々が、最初の共同武装闘争に参加した——それが、奥平剛士、安田安之、岡本公三の三戦士です。日本赤軍はここから誕生します。

パレスチナ人は祖国の地に立って闘うことを望みながら、追放されつづけました。

一九四八年、一九六七年、戦乱のたびに祖国を追われる苦しみは、年老いた人々、女、子供たちが想う祖国の美しさ、なつかしさをいっそう忘れがたいものにします。

難民キャンプに生まれた子供たちはこうした家族にはぐくまれて、国境沿いの彼方に広がる緑の地、祖国パレスチナを恋人のように愛《いと》しくみつめるのです。

占領されたパレスチナの国境地帯、レバノン、シリア、ヨルダン、エジプトからの攻撃の道が、ヨルダン政府によって断たれました。それが先に書いた一九七〇年の「ブラック・セプテンバー」です。

一九七一年六月、ちょうど私は、日本から映画を撮りたいとやって来た映画監督の若松孝二さんたちとヨルダン・イスラエル・シリア国境地帯に踏みとどまっているゲリラの最後の拠点を訪れました。

この時に撮った映画が「赤軍―PFLP：世界戦争宣言」。のちに日本で上映されました。撮影直後の七月には、彼らの山岳拠点もヨルダン軍に破壊され、映画に出てくる若い兵士もたくさん亡くなりました。

パレスチナ勢力は、ヨルダンでの地下活動のほか、国境を越えてベイルートへ集結すること、つまり、レバノン南部を戦場として攻撃の陣形を整えることを迫られていました。

七月のヨルダン軍の攻撃に抗議した人々によって、十一月、ヨルダン首相が訪問先のカイロで暗殺されます。暗殺を実行した「黒い九月」のメンバーは、公判でも無罪判決を受け、英雄として釈放されました。正義が、そのように裁かれるのがアラブで　アラブの統一した希望を指し示す闘いとして、反イスラエルの決定的な作戦が求められていたのでした。

自分の祖国の地で、イスラエルに対して闘うことができたら、どんなにすばらしいだろう。それは夢想に近い困難なことでありましたが、その作戦に何人かの男たちが挑みました。ＰＦＬＰの国際部長のアブ・ハニ、アラファトの片腕と言われた「黒い九月」のリーダー、アブ・イヤドたちです。

パレスチナの人々に希望を指し示す闘いとして、軍事空港でもあるリッダ空港を襲撃し、管制塔を破壊し、かつ飛行機を確保して生還してくる――。リッダ闘争は、当初そう考えられていたようです。

また別のグループも味方の釈放を求める闘いを準備していました。「黒い九月」と関係の深いＡＮＭの人々で、アリタハというリーダーが作戦を実行しました。ＰＦＬＰの国際部長のアブ・ハニたちが二つの作戦の流れを調整しながら準備していたことを私が知ったのはあとのことですが。

「黒い九月」とアリタハらは、五月八日、ベルギーのサベナ航空機をハイジャックしてリッダ空港に着陸し、イスラエルの獄中にいる仲間の釈放を求めました。

イスラエルは釈放に合意しました。しかし乗客に食料・衣料品を運ぶ赤十字の係員に擬装したイスラエル特殊部隊は、乗客の安全を無視して突入し、リッダ空港で対峙していた戦士たちを殺し、作戦を流産させました。

数日の息を呑むようなゲリラ戦は、イスラエルのだまし討ちで終わったのです。

パレスチナ・ゲリラ指導部は、日本人の参加するリッダ空港襲撃作戦・第二弾を、より確実なものとするために、たぶん作戦をシンプルに変えたと思います。空港管制塔攻撃後投降し、いつか成功する奪還作戦を待っているようにという指示になったようです。

第一弾の作戦の結果、男性コマンドは皆殺しにされ、生き残った女性コマンドは、「性的迫害を受けて、作戦に参加した」とイスラエルのテレビで無理やり言わされたという、アラブにとってはショッキングな結末があったためだそうです。

奥平たちは、帰還する闘いよりも、確実に闘い自決する道を選びました。

国境を越えて闘いに来たのは日本人だった

五月三十日、テルアビブで、闘いは成功しました。この闘いがアラブの人々にどれほど希望を与え、闘いの道を指し示したかを語りだしたらきりがありません。

リッダ空港襲撃作戦のあと、アラブの町を歩く日本人は、誰彼の区別なくアラブ人に囲まれ、お礼を言われたりしたものです。

難民キャンプでは、生まれてくる子供に奥平ら戦士の名前をつけていました。

闘って、勝利した達成感は、あの当時、パレスチナ人にとって何ものにも換えがたいダイヤモンドの輝きをもつ希望だったのです。

そのぶん、イスラエル・モサド（秘密警察）の暗殺攻撃はすさまじいものでした。

私たちがアラブでいつか必ず実現しようと、控えめな夢として願っていた「共同武装闘争」。しかし、私たちの名前は、明るみに出され、激しい勢いでアラブ社会の表舞台に登場することになったのです。

パレスチナ側の希望もあって、ＰＦＬＰの義勇軍無名戦士として闘うことを、奥平は了承していました。

いつか誰かが、「数千キロ離れた国境を越えて、闘いに来たのは日本人だった」と語る時まで、静かに、パレスチナ解放の礎になろうと、決死作戦に出かけました。そのために、安田は、わざわざ指紋を残さないように、指を粉々にする姿勢で、自爆したのです。

決死隊の一人、岡本が生き残りました。そして彼自身がレッドスター・アーミー、レッド・アーミーとして闘いを語り始めました。私たちがパレスチナと共同する者の組織であり、これからも闘う意志をもった集団「日本赤軍」として、自らの声明を遅れて発したのは、そのためでした。

日本では運動の高揚に図に乗りすぎた

その頃日本では、連合赤軍による同志殺しが発覚し、労働者・学生など、ラジカルに世直しを求めていた人々に、リッダ闘争は、アラブの歴史上の闘いとしてではなく、連合赤軍の延長線上にある〝殺し合い〟を示すことになってしまいました。同じ「赤軍派」という名の下に行われた武装闘争の結果だったことが大きく作用したのでしょう。

〝六八年世代〟は、今も世界中で、政治・社会の中心的役割を果たしています。〝六八年世代〟とは、ベトナム反戦に連帯して、各地で自国の政府の帝国主義管理支配に対して闘ったニューレフトの人々の、欧州での呼称です。

緑の党に属する現ドイツ外相フィッシャーもその一人です。

当時、いわゆる〝過激派〟として機動隊と渡り合い、闘いと教訓を得て、社会運動に帰り、その経験から新しい政治——環境問題など——を目指した人々です。

日本の〝六八年世代〟も、共通の想い、共通の憤激をもって、ベトナム反戦、王子野戦病院反対、防衛庁突入、学費値上げ反対、沖縄―佐世保問題などで闘いました。アメリカのベトナムへの侵略に反対し、社会正義を求め、公正な市民社会を求め、闘ったのです。日本の私たちの失敗は、当時ごくわずかの人しか、社会運動に――人民のなかに帰らなかったことです。

そして〝軍事〟や〝武装〟による解決を万能薬として求めるという焦りや、稚拙《ちせつ》さから、現実に立ち向かう術《すべ》を、物や技術に求めたのです。武装蜂起《ほうき》することがすべての目的になってしまいました。戦術が目的となって、人々の心を縛りました。

その結果、〝武装〟とか〝軍事〟とか言わないことは日和見主義だとされるような時代をつくります。

これらは、ブント（第二次）という組織自体が内包し、赤軍派によって拡大した間違った「攻撃型階級闘争論」によって、日本の左翼運動全体に影響を与えました。連合赤軍の誤りも、赤軍派のこうした誤りの結果と言えます。

多くの日本の運動についてあなたの理解を求めるのはむずかしいでしょう。三十年以上前に、私たちは敗北したのです。

でもその敗北が、元気のない日本をつくっているように思えます。〃六八年世代〃が復権し、あなたたちと、歴史を楽しく語れる時が必ず来ると信じています。

母さんたちの世代は、運動の高揚に図に乗りすぎ、人々の社会を変えようという力に真実を求めず、自分たちがどう闘うかに夢中でした。

そして常に社会を変えようと言いながら、対象・他者を批判するだけで、自己を顧みる視座をしっかりもっていませんでした。

外因のせいにしながら、敗北と失敗を、それとして認めずに、想いだけが水脹《みずぶく》れのように膨れていました。

そうしたことを、当時を振り返りながら反省し、七〇年代後半に闘いを転換しました。

「自分を変えることなしに、世の中は変え得ない！」

この言葉が私たち自身の七〇年代の教訓となって、今も私たちに〃粋《いき》がり〃を戒《いまし》めさせます。

なぜ銃を握らざるをえなかったのか

「銃は、老若男女を平等にする」という実感をかつて私はもっていました。

銃を手にした時、大男も、子供も、ただ引き金をしっかり引きさえすれば、体力の優劣に関係なく、敵に対して平等な力を発揮できるからです。

でも、どうして銃を握らなくてはいけないのか？

どうして、銃を握らざるをえないのか？

問題をつくり出してきた原因を次から次へと求めていくと、大国のエゴ、金や資本による支配の論理に行き着きます。

人を傷つけず、殺さずに、問題を解決できたら、どんなによいでしょう。

しかしパレスチナ解放には、暴力が力を発揮せざるをえない歴史的関係、社会的関係があり、西側と対決せざるをえない問題が横たわっています。

大国の暴力はスマートで血が見えず、確実に金がつきまとう。民衆の武装闘争は、憎悪に駆り立てられて血なまぐさい行為が多いというのも事実です。味方も身内も戦死した。闘いの未熟さや弱さの結果として、見ず知らずの多くの人々を被害者にしたのだと改めて思います。私も、誰も、人が死ぬことを望んではいません。

「抑圧された人民の語る言葉は銃以外にない！」

このパレスチナの悲壮な宣言を、「そうだ」と私も自分のものにしながら立ち上がってアラブで闘ってきました。そして闘いのなかで、人々の死、人々の生、人々の傷、痛み、悲しみに数限りなく立ち会い、人間の命のありがたさや、大切さ、生かされている人と人との関係の大切さを、そのたび学びながら生きてきました。

私たちが七〇年代流の武装闘争を中止したのは、国連でのパレスチナ認知という時代の流れもありますが、それとともに、多くの死を通して、命を大切にしようという願いを、すべての闘いに活かしたいと考えたためです。

過去の闘いで人を傷つけたり、苦しめたり、死に至らしめたことは胸痛く、その被害者に謝罪します。

あの時に求めた目的の一つ一つを実現しうる、武装闘争以外の方法や形態が、はたしてあったのだろうか？　と自分たちの未熟さを捉《とら》えつつ、答えの出ないこともあります。

ただ私が今言えることは、アラブの価値基準が普遍的な世界のスタンダードではないように、日本の価値基準もまた普遍的なものではありません。

この世には人間の良心よりも金の価値に重きをおくような拝金主義的な考えがあることを、きっとあなたも知るでしょう。

私たちの評価が「英雄」であるとか、「テロリスト」であるとか、価値観の違いによってなされるのではなく、民衆の側から、彼らは人間を大切にしていたのだと、いつか未来に理解してもらえるだろうことを確信しています。

革命家である前に、人間としてのありようを正すように、と私たちは国際的な仲間といつも言い合いました。真のヒューマニストが真の革命家だと。

アラブでの闘いと生活

パレスチナ解放人民戦線（ＰＦＬＰ）との出会い

アラブ人は陽気で、隣人愛、同胞愛にあふれた民族性をもっています。人と話し、人といることが何よりも楽しい私にとっては、なかなかの相棒であり、仕事をしていくうえでも協力し合う関係がたちまちつくられていきました。

ベイルートへ着いて数日後、私たちはある人を紹介されました。その人は、パレスチナ解放人民戦線（ＰＦＬＰ）の国際部長だと言われました。いわばＰＦＬＰのゲリラ闘争の指導者で、あの画期的な革命飛行場の演出者でもありました。

一九七〇年の、ハイジャックした飛行機を、砂漠の真ん中にズラリと並べて一斉に爆破するという、前代未聞の革命飛行場闘争は、この人、アブ・ハニによって創出されたのです。

すでに五十歳はすぎているでしょうか、彼は、私のパリの友人の友人で、革命飛行場闘争の時、パリの友人が協力したこともあって、私は彼を紹介してもらったのです。

私たちは一軒の家に向かいましたが、大きな鉄の門が行く手をふさいでいましたが、車が着くと、すぐ中から静かに開かれました。門を入って、樹林をしばらく走る。すごく広い庭。そして大きな家。いや、家というより館《やかた》といったほうがいいでしょう。静かです。さすがにベイルートのざわめきもここまでは聞こえてきません。

初めて行ったその大きな館に、あのハイジャックで一躍有名になったライラ・ハリドや、PFLP議長のジョルジュ・ハバッシュもちょうど居合わせていました。

しばらくして部屋を落ち着いて見まわすと、表から見た古く厳めしい洋館のイメージとはがらりと変わって、雑多にポスターなどが貼ってあり、おそらく、長い間事務所として使われてきたのであろうことがうかがえました。

そして一人一人、自分が何をしてきたかを、手短に話してくれるのです。ライラが、わかりにくいアラブ英語を、はっきりとした英語にして話してくれました。ライラの親切は、その後も私がどうにか英語で会話できるようになるまで続きました。

夢中で話している間、私はそこにいた五十人近い人たちを、みんな若い仲間だとばかり思っていました。しかし落ち着いてよく見ると、中年以上の人、いや、年寄りといってもいいくらいの人が多かったのです。

人々の顔を見ながら、ふと思いました。そうだ、ここでは生活のなかに革命があるのだ。生活が革命であり、革命が生活なのだ。額に深いしわを刻んだおじさんの、早口で訛りの多い英語を聞きながら、そう実感しました。

話は夜遅くまで尽きることなく、窓の外には闇が広がっていました。

その時、私は気づきました。この館の庭を、まるで森のようにつつんでいるのはジャスミンの大木であることに。まだ花はつけていませんでしたが、そのジャスミンの林のなかの家で、私は第一歩を踏み出したのです。

仲間が仲間に殺された、連合赤軍事件

私がパレスチナに来て一年が経とうとしていた頃、「連合赤軍事件」が起こりました。浅間山荘での銃撃戦（一九七二年二月）をBBCニュースで見た時、自分の居場所が数千キロ離れたアラブであることを一瞬忘れるほど、〝皆が闘っている〟ということに、嬉しさで胸がいっぱいになり、あわてて山の方で生活している奥平同志らに伝えに走りました。

でもしばらくしてから、日本からの電話で〝粛清〟を知りました。受話器をおいた時、床がぐらぐら揺れているように思えました。何かとんでもないことが日本で起きている。同じことを何度も口走りながら、私はポロポロ泣いていました。

「一人じゃなかったわ。十何人殺されたのよ。ミエコも殺されたのよ」

私からすべてを聞いた時、奥平の顔がゆがみました。しばらく彼は、必死に涙をこらえ

ているようで、そして、何か、言葉にならない言葉をつぶやき始めました。

「おれたちが、何のために、ここで……、ここに、いると思ってるんだ。おれたちの、おれたちの……」

それは、言葉とは言えない、声でしかなかった。つぶやきでしかなかったのです。

仲間が仲間に殺されたって？

いったい、私たちの死に方とは、真に革命的な死に方とは、どういうことなのだろう。

自分が死ぬことを避けている限り、殺すことは間違いだ。

殺すということは、自分の生命を代償とする以外にはありえない。

そのことを、日本の仲間たちはわかっていない。

私たちはそう絶叫したいと思いました。

駆けつけてきた同志たちは、黙って、下を向いて、同じように、同じことを、確かめ合いました。

今、この時、自分たちのとるべきはどんな行動か。真の闘いと、真の死を、すべての人たちにわからせる作戦とはいったい何だろうか。

そのくやしさから私たちは、闘争を組織しなければならないという感覚を摑《つか》みとっていったのです。これが、最初の戦士たちがリッダ空港襲撃作戦に向かう根拠でした。彼らは最も困難な闘いを選択しました。

戦死した殉教者のために

　ＰＦＬＰの同志が来て、「あなたのアパートを引っ越してほしい。安全のために。今日か、あしたのうちに」と言った時、私は闘いの始まりを理解しました。その夜、仲良しの中国帰りの女性コマンドたちが家に来て、毎時のニュースを聞きながら成功の知らせを待ちました。

　夜十二時のニュースが、成功の知らせを初めて告げた時、中国から持ち帰った「インターナショナル」のレコードをかけて、真紅のスカーフを私の首に結び、大の男や女たちが、「おめでとう、国際主義のために！」と泣きながら接吻しました。

　私は、『ああ、一つの任務が遂行された』と思った瞬間から、それまではただ任務のために尽くし合ってきた仲間たちの、過去の仕草や表情や声が、体じゅうをこだまのように往来し、立っていられないほどの感情によろけてしまいました。

戦死した殉教者――手の届く位置にはもはや還《かえ》らない仲間への後悔に似た愛着に、次の瞬間、押し流されそうになるのです。

『私は、あの人たちに最善を尽くしただろうか？　私は今から、あの人たちのためにどのように生きていくのか？　彼らのぶんまで未来に近づくために、私は、何があろうと、闘いつづける力と心を、もっと、もっと、鍛えなければいけないのだ』

そんなふうにぐるぐるめぐる感情を整理しながら、パレスチナの同志たちと、街が沈黙する真夜中に「インターナショナル」を小声で歌いました。

誰も皆、闘いの成功と、愛する同志への愛着のために、歌にならず、すすり泣きのように歌いました。

私たちはリッダ闘争を継承し、発展させるために、すべてを賭けて、闘う力を共同武装闘争に集約化しつつ進みました。

一九七三年の日航ジャンボ機ハイジャック、そして、七四年のシンガポール製油所爆破等々を、さまざまな人々の力を結集しながら担いました。

アラブの家

まだレバノン情勢がそれほど緊張していなかった頃は、よく友達の家に食事に招待されて、アラブ料理を教えてもらいました。

食習慣は文化だと思いますが、アラブの食習慣は民族の土台を成しています。

まず、必ず人を招待したり、されたりします。日本ではかなり親しくないと食事に招待はしません。アラブでは、ちょっとしか知らなくても、招待し合います。特に、親戚がアラブじゅう、あるいは世界中にいる人たちも多く、「ふるさとの訛りなつかし」ふうに、立ち話を聞きつけては集まる人懐っこさがあります。

「もしや、あなたはアッカの出か?」

「ええ、そうです」

「それは、なつかしい! どうです、アッカは? 私の○○がアッカなんですよ。昼ご飯はうちでご一緒に。アッカの話が聞きたいから」

「喜んで」

という具合になります。そして一度招待を受けたら、もう〝知己〟にノミネートされ、一生、〝知己〟関係ということになります。

ずいぶん親しいのだろうと思っていたら、たった一度会っただけという〝知己〟関係だったりして、面食らうこともよくありました。

パレスチナ難民キャンプの家庭では、来客があると、女性と子供は台所で食べているようでした。それが申し訳なくて、「一緒にテーブルで」と、よほど言おうかと思ったりしました。しかし主人がそう言わない以上、客人としては控えざるをえません。

『招待し合う習慣はすばらしいけれど、女性や子供は台所で食事なの？』と考えさせられたものです。

女性たちは、夫、父、兄、弟のために、何時間もかけて料理をつくります。彼女たちは外国人のお客が来たらテーブルにはつけません。

彼女たちは、料理に数時間をかけなくてはなりませんが、それは、祖母から娘へ、娘から孫娘への大切な文化のひきつぎの儀式でもあり、社交の場でもあるようでした。

お客様待遇から〝親戚〟にランクアップされると、台所で彼女たちにまじって、料理の準備に加われるようになります。

キャンプの家はコンクリートの箱がくっついた状態の長屋ですし、隣の家のおかずが何かまですべて筒抜けです。だからこそ彼らが編み出した礼儀作法があります。

訪問する時は、近くに来たら足音を意識的に大きくし、〝これから接近しますよ。準備はよろしいですか？〟という合図をします。次に「えへん！」と咳払いもします。それから、「〇〇さん、ご在宅ですか？」と呼ばわるのです。これをやらないで、いきなり訪問するのは失礼になります。

アラブの女

洗濯も、女性にとって腕の競い合いの一つのようでした。

「どこそこの家のシャツは、真っ白だね」と言えば、その家のお母さんなり、娘さんなり、お嫁さんなりが、しっかりと洗濯している、まともだという評価です。

彼女たちは、シーツ、シャツ、赤ちゃんのおしめ（パレスチナのお母さんたちは、「赤ちゃんに、真っ白いおしめをさせられないのは恥」と心得ています）など白いものは、粉石けんを入れて、特大トンジャラ（鍋全般をトンジャラといいます）で煮ます。

天気のよい日は家の裏などで、バップール（ケロシン灯油を使ったコンロ）にかけた特大トンジャラを、棒でかき回すお母さんたちの姿をよく見ました。

パレスチナの友人に、中国製の菜箸《さいばし》をプレゼントした時のこと。そのお母さんが、たいへん嬉しそうなのです。『よかった、喜んでもらえた』と私もハッピーに。するとお母さんが言いました。

「ちょうどこんなのが欲しかったの。洗濯物を煮る時に使う適当な棒がなくて。なんて間がいいんでしょう！」

使用目的は問いません、使うことに意義ありです。ともかく、よく煮ると、汚れがよく落ちるし、煮沸消毒にもなるわけで、清潔なこと、この上なしです。

彼女たちは煮たあと固形石鹸でゴシゴシもみまくり、本当に真っ白にしてしまいます。それでも落ちない時は？　もちろん漂白剤しかありません。環境にやさしい洗濯は、煮ることかもしれませんね。

私も覚えたてのパレスチナ洗濯法であなたのおしめを洗ってみて、びっくりしました。気持ちよく真っ白になりました。

料理、洗濯、掃除、子育て、娘・息子の縁談探し……と難民キャンプの女性たちは、独楽鼠《こまねずみ》のようによく動き、働きます。

しばらくして、こうした生活、女性の社会的役割とされるものに、彼女たちは満足してはいないというのが理解できました。

女性だって、イスラエルと闘いたい、外に出たい、仕事をしてみたいという想いを、強くもっているのです。

かといって、このモスレム社会では、「女性の徳は、家庭にあり」「男女七歳にして席を同じゅうせず」ですから、解放組織に加盟するのは、まして活動するのは、本当にたいへんな決意と努力が必要だったようです。

いちばん反対し、活動を妨害するのは、世間ではなく、実は、本人の父親と兄弟というのも、だんだんとわかっていきました。

たとえば、元気のよい、正義感も強く、民族意識も高い若い女性は、親が解放組織の一員ともなれば、当然いろいろと聞くので、『自分も参加したい』『自分も参加しなければ』となるようです。

しかし親や兄弟に相談したら、絶対に外に出してもらえなくなるとこぼしていました。

ほんのしばらく前は、女性は羊三十頭と同程度の財産とみなされていた社会であったようです。

「『結婚できなくなったらどうする?』と言うのよ。私、結婚したくないわけではないけれど、お父さんや兄弟のように、パレスチナのために闘いたいのに。『あの日本人のようにやりたいのよ』と言ったら、『彼女は外国人だからだ。おまえはパレスチナの娘なのだから、パレスチナの娘の分をわきまえなくては』ですって。お父さんたら、もう少し進歩的だと思っていたのに。人間は平等だなんて本を読んでいるのに、よ。私も、男だったらよかった」

と、私に相談してきた女性もいました。

家族の反対を押し切って活動を始めていたある女性は、

「活動を始めた時は、『女性としての幸せは捨てる』なんて考えていたの。『恋もしない、子供も望まない』なんてね。でも、メイちゃんを育てているあなたを見ていたら、私もやってみよう、私にもやれるかもしれないと思えてきた」

と話してくれました。

最初は、女の子たちは、寄るとさわると、ファッションだの、映画だの（当時は、ブルース・リーの全盛期。あの単純明快な勧善懲悪が大人気でした。パレスチナの人々、レバノンの人々は、イスラエルをやっつける自分たちをブルース・リーに重ねて観ていたのでしょう）、誰それが格好いいだの、「○○さんが××さんと結婚したがっている」だの、という話しかしていないのかなと思っていましたが、彼女たちもまた、発展段階のイスラム社会に生きており、そこにおける女性の地位に満足しているわけではないというのがわかって、余計にみんなと話すのが楽しくなったものです。

「おまえはやらなくていいから」と、父親や兄弟に言われても納得できるはずがありません。『自分もやらねば』『自分も参加したい』という欲求をもちながら、どれだけ多くの女性が家庭に閉じ込められているのだろうかと、思わずにはいられませんでした。

「ハイジャックの女王」と言われたライラにも、活動を始めて以来、男性のコマンドとは違うハードルがたくさんあったのだろうと思ったものです。

若い女性だけが、社会発展の速度に不満だったわけではないというのも、新たな発見でした。

一見、〝モスレム婦人の鑑《かがみ》〟のようなお母さんが、

「お母さん、月に人間が行ったら、アッラーはいなかったって。どこにいるの？　お母さんは、前に、月にいらっしゃるって言わなかった？」

と子供に聞かれて、

「おまえね、アッラーの姿は見ることができないものだよ」

と諭している場面を見ました。

そのお母さんは、モスレムの戒律を全部遵守して、一日に五回のサッラ（メッカの方角に向かって礼拝すること）を行い、家族がラマダン（モスレムの断食）を守るように眼を光らせ、洗濯物は近所でもいちばん真っ白という人でした。年頃の娘が一人で外出するのには眉をひそめるうるさ型でもありました。

しかし、彼女は現実のキャンプで、レバノンで、イスラエルに占領されたパレスチナで、どんな社会問題が起こっているのか、アンテナをしっかり立てて、自分の頭で考えているようでした。

それから十年後の一九八二年、イスラエルがベイルートに至るまでレバノンを侵略した日々、こうした娘、母親たちが、銃を取って最前線で闘っているのを見聞きしたことは、私にとって嬉しい驚きでした。

今にして思えば、きっとパレスチナの父親も兄弟も、「男とは、強くあるべき」というモスレムの規範に従ってしか生きられなかったのでしょう。女性ばかりが社会規範に縛られて、もがいていたわけではないのでしょうね。

社会発展の度合いは、確かに日本とは違うけれど、人として生きたいという欲求と、社会の規範との矛盾をどうやって解決していくのかという面では、きっと女性も男性も同じところがあったのでしょう。闘いは社会を新しくし、創造的に育てます。

コマンドは必ず天国に行く

誰もが、パレスチナ解放になんらかの役割を果たしたいと願っていました。

しかし、昔からの女性の地位は、一朝一夕には変わらないようでもありました。

子供をたくさん産んで育てているお母さんたちは、親戚の誰かがコマンドだったり、息子の何人かがコマンドだったりします。

戦死者・負傷者を出していない家族はありませんでした。愛する者をささげる苦しみを嘗《な》めても、彼女たちはへこたれません。

「私にはまだ息子が五人いるから。五人全部をパレスチナにささげてもいい。私の代でパレスチナに帰れなくても、きっと、息子、娘の代にできるだろう」

と、葬式で涙ながらに気丈な発言をする母親。でも、自宅に帰ると、戦死した息子の写真をじっと眺めて……。

モスレムの人たちは、善行に従ってアッラーが裁いてくれる、死んだらアッラーの御前で、天国に行くか、地獄に堕《お》ちるか、神の帳簿がしめられる、と信じています。コマンドは必ず天国に行くと聞きました。それは、悪を懲らしめる者、自己犠牲を行う者が、フェダーイ＝コマンドだからです。

「ソート・フィリスティーン」（パレスチナの声）というPLOのラジオ局が、「ガザの○○です。ヨルダンにいる姉さん、元気ですか？　僕は元気だから心配しないで。××が今度、結婚しました」などと家族の消息を伝える番組をやっていました。どこの家庭でも、その番組はいちばん人気があるようでした。居所がわからない家族を捜す人も多かったようです。

そこに投書すれば、放送されるし、本人でなくても、消息を知る人がニュースを伝えてくれる可能性が大きい。日本でも、敗戦後、「尋ね人」というラジオ番組があったと聞いていますが、あんな感じでしょう。家族、友人が離れ離れにさせられて祖国を離れている。祖国にいる家族と、お互いの安否を尋ね合う、気遣い合う切なさを感じました。パレスチナの人々の責任ではないのに……。

自分の役割を果たして社会を変える

若い女性が親の許可なしに外出することは、最初はタブーでした。外出するには、それ相応の口実が必要で、彼女たちはよく「刺繍《ししゅう》をするので」とか言っていたようです。

パレスチナの刺繍は素敵！　村ごとにモチーフ、配色が違うので、昔は、その女性が着ているガラビーエ（カフタン。胸に刺繍をしてあり、花嫁用は豪華で、金糸銀糸のどんす風）を見れば、どこの地方、どこの村の出身かまでわかったそうです。

若い女性が集まって刺繍をしながら、あれこれさんざめいている姿は、美しいものでした。

ファタハをはじめ、諸解放組織は、女性たちの力と技、伝統技術を動員する経済活動もやっていました。

たとえばファタハ婦人組織が、観光客用に刺繍や手芸品をつくる作業所を設け、そこに若い娘が刺繍をしに来て、賃仕事をするわけです。女性にとってもいくらかの収入になり、解放組織にとっても収入源になるというわけで、名案でした。実際に経済活動に参加しなくては、外に出ることにはならないのですから。

旧い社会のしきたりも、女性の役割も、解放闘争が前進するにつれ、変化を余儀なくされていきます。

諸解放組織は、青年同盟、婦人団体をつくり、幼稚園経営、病院・クリニック経営等を行い、必然的に、女性が家庭の外に出ていく機会も増えていきました。

婦人団体の集まりや慈善事業や、共同作業では、女性が生き生きと活動していました。誰もが、自分の役割を果たしながら、社会のしきたりを新しくつくりかえている、同時代の解放闘争を担っているのだと実感したものです。

今の日本は、あなたが聞いたらびっくりするようなことばかりで、家族の絆《きずな》が弱まって、人々が癒しを求めているそうです。

物事にはすべて肯定的な面と否定的な面とがありますが、パレスチナやレバノンの家族関係は、半封建的な部分も残しているので、緊密であるぶん、伝統と風習の耐えがたい重さもあるようです。

それを壊して、新しい関係をつくっていくのは解放運動であり、一人一人なのでしょう。

誰かのせいにしても始まらないけれど、少なくとも、現在の社会をつくった大人にかなりの責任があるし、大人も青年も子供も、一緒に直していけばよいと思います。

夏・ベイルート――イスラエル軍の侵攻
〈一九八二年の日記より〉

パレスチナ人は祖国の地を踏めない

イスラエル軍包囲下のベイルートの街中には、闘う意志に満ちた人々があふれています。政治指導部の方針の発表を待っているのです。

闘うことにおいてしか、生も、また死も、存在しないという気分に満ちています。そうである以上、これだけ決然とした人々が共にある以上、決して、敗れません。

「ベイルート人民共和国の永遠のために！」「パリコンミューン・ベイルートコンミューンに乾杯！」そんなことを口にしながら、街角で地酒を飲んでいる、自棄《やけ》くそに浮かれたじいさんもいます。これから闘いが始まるという気分です。

私たちもまた、とっくに覚悟は決めているのですが、『包囲された。あとは闘い抜いた結果として生もまた死もある』と思うと、心が改まり熱意がこみあげてきます。

日本の人たち！　どうしていますか？　会いたい。

もう一度だけ会わなければならない友達の顔が次々と浮かんできます。『最期になってもよい。ここで最善の闘いを果たす』そう思いながら自分を振り返り、あれもこれもきちんとしてこなかったと後悔し始めると、生きなければ、という義務感がまたこみあげます。

やりっぱなしにしてきた対話、誤解したままの友達――、十年来耐えてきたことだけれど、国際電話が開いているなら、ダイヤルを回したい衝動もあります。

私たちは、最悪事態の予測をたて、イスラエル制圧下の、西ベイルートから東ベイルートまでの地下での集結、連絡網、他の組織と共同でやるべきことを決めました。最悪の事態に備えて、率直に、かつシリアスに計画をつめると、全員、逆に気軽になったようです。会議が終わってからも、メロンやすいかをぱくつきながら雑談に花を咲かせます。

六月二十七日、私たちと親しくしていたコマンドの家族の埋葬があるから来てくれないか、と友人に招かれ、グリーンライン沿いに近い林の方まで出かけました。

集団埋葬の列はすでに延々と続いていて、黒い服を着た年寄りと、軍服を着た若年の人々の群れが、林の中に立っています。

花もなく、墓石もなしで葬ることはできないというパレスチナ解放機構（PLO）の人々の努力で、コマンドたちが最前線で摘んでくる野菊やけしや夾竹桃《きょうちくとう》やあざみや、それから、東ベイルートから調達されたグラジオラスやらダリアやらが、包《くる》まれた遺体の上に添えられています。

毎日増える死者の数。停戦の合間に悲しみの別れをする家族は、どれほどの数にのぼるでしょう。イスラム僧の祈りは、イスラエルを糾弾する言葉と死者たちへのねぎらいの言葉に貫かれていました。

整然とははるか彼方まで並んだ墓石と、こんもりとした埋葬の小さい跡が、あちこちに増えています。

ここでは死体を日本のように火葬しないので、あちこちに新しい土盛りの跡ができており、まるでその土盛りをむっくりとかき分けて、今、埋葬した人々が、起き上がってくるかもしれないと、ふっと錯覚しそうになります。

軍服姿の友人たちが、自分の家族の埋葬の番を待って俯《うつむ》きながら、摘んできた花束の花びらをいじっています。

私も黒い服がなかったわけではありませんが、軍服のまま参加しました。

いつもは、戦士の埋葬はクラシンコーフ（ソ連製の機関銃、カラシニコフ）の音で送るのですが、停戦中の埋葬ではそれも規制されているといいます。けれどもこんな状況下で、敵に包囲され、敵に殺された人々との最後の別れを、クラシンコーフなしで行うわけにはいきません。自分たちの決意を銃に託して、あちこちから銃声を一斉に放つという儀式で、死者へのねぎらいの気持ちを伝えました。

年寄りも、戦士も泣いています。涙が涸《か》れて、声だけで泣いているようです。闘いの決意を語り合いながら。

身元のわからない死体も、二十体くらい埋葬されました。夏の暑さと、湿気のために、多くが腐乱状態になり、身寄りの人ではなく、民兵やコマンドたちの手厚い埋葬を受けました。

友人のコマンドは大男ですが大声を出して泣いていました。父も母も妹も、一瞬にして失い、弟のコマンドと自分だけで生きていけというのかと、死体が埋葬された土盛りに向かって、ずっと泣いていました。

「おまえはいい方だよ、おまえの手で送ってやれたじゃないか。おれの家族は、サイダでやられて、おれは埋葬にも立ち会ってやれなかったんだぞ」

と他のコマンドがなぐさめながら肩を抱きます。

「神よ、パレスチナ人はこれだけの代価を払ってもなお、祖国の地を踏む道を許されないのですか!?」

足下まである黒い喪服を着て、土にひざまずいたまま、ひとり言のように祈る老婆の後ろ姿があります。闘いしか勝利をもたらさないのはわかっているのです。

「青い、雲一つない空と、静かで透明な海と、たわわに実る数々の果物、オリーブのために、人が地球に住み始めた最初から、争いの主戦場になってきた」

とパレスチナのことを語った、イギリス統治下のパレスチナ警官だったコマンドの父親は、土に還りました。

こちらに来てから十一年、彼にあれこれと世話になった数々のことがらを思い返します。

「わしはあんたの父親になってあげよう。しかしあんたは私を父とする娘にはなれないよ。祖国もあり、家族もありだ」

陽気な人でハイファから三十四年前にレバノンにのがれてきたという、「無学で」というわりに話の内容が妙に哲学的なじいさんでした。

死が、家族にとって、友達にとって、どれほどの悲しみをもたらそうと、その慟哭《どうこく》は数しれず、この狭いベイルートの日常茶飯事と化しています。

上空を偵察飛行する敵機が大量のビラを撒《ま》き、林の墓の上にも数枚、ひらひらと落ちてきます。

「生命が惜しければ、西ベイルートから出ていけ」

と二つの脱出ルートを書き込んであります。

うずくまって祈っていた老婆が、ビラを静かにひろいあげ、何か言いながら粉々に破って捨てました。

また、生き残ってしまった

予定していた会議は、東側に近いレバノン組織の事務所で行われるはずでした。早めに着いた私たちにレバノン人の女性が、今ちょうど事務所の錠をあけたところだと言います。彼女は妊娠していたので、体が思うように動かないことをくやしがりながら、コーヒーを沸かし始めました。

普段はあまり被害のないところだというので会議場になったはずなのに、十分もしないうちに、集中的な空爆対象地区と化しました。

五階にいたのでビルはブルブル揺れて、そこらじゅうの建物が轟音《ごうおん》とともにはじけるのが見なくてもわかります。

ビルの構造上、階段が外側にあるので、私たちは五階で空襲を凌《しの》ぐしかありませんでした。駆けおりていくほうがはるかに危険だと考えたためです。

数波の空襲があたり一面を破壊したあと、次の波の一発目がビルを斜めに爆撃しました。七階建てのビルは、轟音とともに部屋じゅうをひっくり返されました。壁のコーナーに陣どっていた私も体をしたたかに打ちました。

日本の生活のなかで、爆撃音を想像するのはむずかしいでしょう。トンカチで力いっぱい壁を叩いたってすごい音がするでしょう。その音から、日本のマンションを一挙に壊す音を想像してみてください。

慣れていても、何回聞いても、ゾクッとするほど嫌な轟《とどろ》きです。

体を伏せ、頭を抱えてグッとこらえ、『やられたか!』と思いながらあたりを見まわすと、一瞬とまどうほど部屋じゅうの物が折り重なって散らばり、アラブコーヒーを片手に真向かいに立っていた彼女がいません。彼女も、彼女の立っていた付近の壁も、どこかに吹っ飛ばされたのだ、とやっと理解できました。あたりが悪臭につつまれ、燃え上がります。上の階に、外れた爆弾が当たったので、そのまま、ドサッと部屋の一角がもっていかれたのです。空がその煙と炎の向こうに見えます。また次の攻撃。そのままの姿勢で、再び爆撃に耐えます。

『大義は不孝に似て親《しん》を滅《めっ》す、天命ここに尽きて……』

「リッダ闘争戦士を讃《たた》う」と、一九七二年に、父が送ってよこしてくれた漢詩の一節が、なぜか鮮やかに頭をよぎりました。

その鮮やかな想いを振り切るように爆音のなか、ええいままよ！　と、階段めがけて一気に走りました。脱兎のごとく駆けおりて、地上に降り立ちました。

一面、悪臭と煙と炎。……助かった。

向かいのビルの友人が匍匐《ほふく》前進しながらこちらのビルに近づいてきます。見上げると、向かいにある友人の事務所から数人が首を出して、私の様子を心配そうに見ています。こちらが直撃を受けたと思ってレポを送ってよこしたのです。

私は、〝来るな〟の停止サインを送って、ガレージの下に伏せました。次の空襲の波が押し寄せてきます。

顔を上げると、レポに来ようとしていた友人がうつぶせに寝た姿が見えます。四肢に力が入っていない。頭に何か当たったのか？　十メートルぐらい道を隔てていますが、彼が動いていないのはわかります。次の波。動こうにも、体が言うことを聞きませんし、爆撃のため前へ進めません。

爆音のはじける音とともにひと呼吸して、倒れた友人のもとに、そのまま走りました。

隣のビルの仲間も二人、そのまま駆けてくるのが見えます。三人で血まみれの友人を抱えながら、一気に物陰に飛び込みました。ことが始まってから三分か五分か、興奮だけが残って一オクターブぐらい、高い声で話している自分を発見します。

友人の一人が「道路が燃えてる。コンクリートが燃えてる!」と叫びます。普段、燃えないものが燃えつづけるのは奇妙な光景です。「特殊爆弾だろう」と、他の一人が言いながら、倒れた友人の脈をみて、血だらけの焼けた体を調べます。

さきほど私と一緒の部屋にいた女性は見当たらないままです。とにかく、この友人を部屋に運んで、一時的に空襲がおさまるのを待って捜そうと、手短に打ち合わせ、そのまま向かいの友人の事務所に駆け上がります。体が、ビルに連動して揺れて、なかなかうまく階段を昇れないのが歯痒《はがゆ》い。

同志はビルのコンクリート塊か何かが当たったためか、頭と首の骨までやられて、意識を取り戻すことがないまま、静かに息をひきとりました。私は女性を捜しに出ていたので、彼が息をひきとったのを知ったのは、彼女の死体を部屋へ運び入れた時でした。

彼女は、体の破片を拾い集めねばならないほど、下半身が飛び散り、肉塊にはコンクリートやガラスが刺さったままでした。抱き上げた上半身が軽かったので不覚にも涙がどっとあふれます。「私がコーヒーをいれる」と言ったのに――。

「妊娠中の体だって、それくらいできるのよ、あんたは座ってなさいよ」とさっきまで眼の前にいた彼女の声が、耳元で生温かく響く。

『また、生き残ってしまった――』

生きつづけたいくせに後悔に似た悲しみが、体の奥から立ちのぼってくる。

レバノン全土で一万一千五十人の死者

空港周辺では、最後になるかもしれない攻防が続いていました。

かつてのように空爆するイスラエル機を牽制《けんせい》するシリア側の飛行機もないし、ミサイルSAM7もほとんどありません。クラシンコーフやカチューシャ（ソ連製の多連装ロケット砲）のすごい音で抗戦しながら、空港に接近するイスラエル兵と、死守するパレスチナ・レバノン人民の決死の攻防がつづいていました。

レバノンの大統領サルキスは、交渉中にイスラエルが攻撃してきたことに抗議し、ワザン首相は「世界のリーダーが介入して、イスラエルの侵略をやめさせるよう」世界にアピールを発しました。

首相夫人らのハンガーストライキが、ベイルート・アメリカン大学で続けられています。ワシントンでも、アラブ婦人たちのハンガーストライキは続いてます。レーガンも停戦を呼びかけました。

世界中の声を無視して、イスラエルのシャロン国防相（現・首相）は「ベイルート空港は、我々の支配下に入った」と得意気に宣言しました。そして「軍事力の制限を行うように」というアメリカの要求を拒否し、PLOが住民地区に隠れているのだと、無差別攻撃を正当化しつづけました。

八月二日、事態はまた悪化しました。昨日の無差別攻撃で、道路は通行できなくなり、車の移動は、ますます不可能になっています。あちこちに大穴があき、ベイルート・アラブ大学周辺などは、風景が一変してしまいました。

六月四日からの死者は、二十五万平方キロのこのベイルートじゅうで、三千五百四十一人を数えました。レバノン全土では、一万一千五十人の死者。負傷した人数は、死者の十倍から二十倍と言われています。奴らは軍事圧力によって、PLOに無条件降伏を押しつける腹なのです。

さよならベイルート

こみあげるさまざまな想いを抑えながら人々は最後の準備に入っています。

好きな国を選べと言われたって、レバノンより好きな国がどこにあるだろう。そう言いながら、人々は、アルジェリア、イエメン、シリアなど、撤退先を選択しました。

私たちは撤退の準備期間に、仲間同士のみならず、もうこれから会えないかもしれない人々、特にベイルートに残る組織や友人たちと今後の仕事について、できるだけ話し合いました。

すでに、捨てるものは六月の段階ですべて捨ててしまっていました。ただ、これからの闘いにとって必要な条件づくりに時間を費やしたのです。

どこから手折ってきたのか風車《かざぐるま》のような大輪のダリアを目印とするちょっと粋な場所とか、海を見下ろす岩場とか、工事中のビルの二階とか、破壊され、失われた事務所に代わって、あちこちが会議場所になりました。

どの会場でも、まず友人の生死の確認、行方不明者の情報交換が先でした。それから、どこから手に入れたのか、ワインや地酒を準備してきて、さようならの乾杯を、らっぱ飲みでまわし飲みします。

さようならの乾杯というのは、闘いの印。闘ってまたここで会おう、と、口には出さない誓いが込められています。侵略の合間につくったという歌を戦士たちは各々もっています。勝手に歌をつくり、勝手に歌う。それがまた、実に情感をゆさぶる曲なのです。

岡本同志、捕虜交換で奪還

岡本同志を廃人にする計画

一九七二年のリッダ闘争は、それ以降のパレスチナ革命へとひきつがれ、多くの作戦へと継承されていきました。そのためパレスチナ政治犯釈放リストには、国際主義の実践者として、常に岡本同志の名が加えられていました。

一九七九年、初めて政治犯が七十六人、解放されました。そのうちの何人かのアラブ人が、日本赤軍を訪ねてきて岡本同志の近況を伝えてくれました。

「オカモト同志は、我々に代わって闘った我々の兄弟だ。民族を愛する兄弟であるという理由で、彼はずっと独房に入れられてきた。奴らは、オカモト同志を廃人にするために着々と計画を実行してきた。

彼を『狂人』だとして、両手両足を鎖につないだまま放置することは、日常茶飯事に行われている。そしてモルヒネなどを大量投与して、彼の『精神を安定させる』ことを続けている。

オカモトはおかしいのではない。奴らが彼をおかしくしている。だから、奴らの手から解放されれば、オカモトは、リッダ闘争を闘ったオカモトに立ち直るはずだ。

彼は、我々の兄弟だから、我々は制限された獄のなかでできるだけ兄弟のために尽くし合ってきた。日本人がパレスチナ人を助けたように、今度は、我々が助ける番。我々はこれからも兄弟として彼を助けつづけることを忘れないでほしい」

パレスチナの戦士は、涙をひっそりと浮かべて、拷問のために、だめにされてしまった腰をさすりながら、静かに話してくれました。

一九八五年、岡本、捕虜交換で釈放

「オカモトが帰ってくる！」

ニュースは早々と駆けめぐっています。パレスチナ解放の義勇軍戦士として、一九七二年五月三十日、リッダ空港襲撃作戦を担った私たちの仲間のうち、生き残った岡本同志の解放が間近いと、アラブじゅうが沸いています。

一九七二年の作戦以来、アラファト議長派の作戦であったミュンヘン・オリンピック村の襲撃作戦においても、パレスチナのどの組織が行う政治犯釈放要求でも、リストのいちばん最初に載せられながら、岡本解放は、これまで果たされずにきました。

そうしたイスラエルが、多少、考えを変え始めたのは、「テロリスト」と言われつづけてきたパレスチナ解放機構（ＰＬＯ）のアラファト議長が、一九七四年、国連総会に初めて出席して演説し、パレスチナ人の権利の問題が国際的焦点になっていったことによります。

これまで見向きもされなかったパレスチナ人民が、革命飛行場やリッダ空港襲撃作戦や、ミュンヘン・オリンピック村襲撃などで、問題を投げかけていったのでした。

そして一九七四年十一月、国連総会は、パレスチナの国家樹立決議案を採択しました。そのことは、パレスチナの人々に、これまでのような世界の都市を戦場とする闘い方をやめ、パレスチナの民族自決にふさわしい闘い方に変えることを促しました。

こうしたなかで、岡本釈放が現実味を帯びてきたわけです。どの解放組織も、会議などで会うたびに、「まだオカモトを釈放できなくて、申し訳ない！」と、最初にあいさつするほどでしたから。

パレスチナ解放人民戦線―総司令部派（ＰＦＬＰ―ＧＣ）と呼ばれる組織が、国際赤十字を介したイスラエルとの秘密交渉で、オカモトを確実に釈放者リストに載せることに成功しました。

当時、交渉にあたっていたＰＦＬＰ―ＧＣの友人が、嬉しそうに語ったところによると、その過程は次のようなものでした。

「『ガリリー作戦』と名づけられた捕虜交換作戦は、最初、スムーズに進んでいた。しかし、イスラエル側は、赤十字を通じて、『オカモトは病気だし、リストから外すべきだ』と言ってきた。我々は、『ＯＫ。それなら、交換はやめた！』と、こちらから打ち切って、その後数週間、交渉が途切れた。

今度は、イスラエルの側が『オカモトの代わりに、五百人のパレスチナ人を釈放者に加える。オカモトは釈放しない』と言ってきた。

それで、我々はこう言ってやった。『オカモト抜きの釈放なら、この交渉はなしだ』と。それからまた、赤十字の交渉が続いて、やっと、しぶしぶオカモトの釈放を認めた。

イスラエルがオカモトとの交換を渋るのは、オカモトを拷問し、ズタズタにした事実を知られたくないのが第一、そして、パレスチナ人が日本人の英雄を息子のように大事に扱うことを世界に知られたくないのが第二の理由だ。でも、イスラエル兵三名の命と引き換えだから、合意せざるをえなかったのだ」

私たちは彼らとともにジュネーブに飛び、そしてリビアに飛んで、岡本同志を迎えました。トリポリの街中で、「帰還の戦士たち」千百五十五人の凱旋《がいせん》行進が繰り広げられました。その先頭で岡本は少し緊張しながら、戦士たちとアラブに帰った最初のＶサインを送りました。

地中海に面したリビア軍の基地に、数万のパレスチナ人の家族が、基地がパンクするほど、日々訪れました。釈放されたなつかしい戦士たちと過ごすためです。

岡本への花や、お菓子などのみやげ物は積み上げられ、小屋のように巨大な一角になったほどでした。皆、涙ながらに、岡本へ感謝の接吻を求めました。釈放されたコマンドのうちの百人が、オカモト防衛隊として、人員整理にあたりながら、最初の何週間かを過ごしました。

最初に会った時、岡本同志はまず、どのように闘い、どのように奥平や安田たちと約束したかを、真剣な眼で語りました。語り終えたとたん、倒れるように二十時間ほど寝てしまいました。

拘禁中に精神的にも身体的にも打撃を受けたことは、私たちにも痛いほどわかりました。どれほどリラックスできる時と仲間を待っていただろう。苦しみながら、闘い抜いた岡本同志の寝顔に、感謝を込めて、『私たちが、必ず、あなたを守っていこう！』と誓いました。

道路の両側に広がるオカモト歓迎ポスターを見ながら、花飾りのついたジープとトラックの上から手を振り、数百人の戦士たちがレバノンに帰還しました。そして、岡本同志は、解放区の果樹園で平和な時を過ごすようになり、精神的・肉体的なリハビリの時間を得ることができました。

政治亡命

それから十二年、中東に変化が訪れました。

いちばんの変化は、ソ連・東欧の崩壊です。それによって、比較的ソ連・東欧勢力と呼応していたアラブ諸国や、諸解放勢力が困難に直面しました。

そして湾岸戦争を経て、アメリカ支配による中東和平の枠組みが実行される路線が敷かれました。クリントン政権は、「この地域の矛盾は、アラブ－イスラエルの矛盾ではない。和平を望む者と和平を望まない者の矛盾が、分離線をつくっている」と宣言し、公正でない和平に異議を唱える勢力を押し潰そうと企てたのです。

こうしたなかで、一九九七年、岡本同志をはじめとする日本赤軍の五人が、レバノン当局に逮捕されるという事態になりました。レバノン当局は、日本赤軍がレバノンに住むことを非公式に許可していましたから、私たちはたいへん驚きました。そして抗議しました。

その過程でわかったことは、レバノンの首相周辺の一部の勢力が日本政府の申し出に応じて、経済援助と引き換えに、レバノンから日本赤軍を一掃して引き渡すというシナリオをつくっていたということです。しかし、捕まえたなかに岡本がいるとは思ってもみなかったようです。

アラブの民衆は怒り、全アラブで抗議行動が起こり、岡本と日本赤軍メンバーの釈放と政治亡命を求めました。人口四百万人と言われる小国レバノンで、二百五十人の弁護士が、岡本らの裁判にボランティアで協力すると申し出ました。若者たちは、内務省前でハンガーストライキをし、ベイルート市内でデモ行進を続けました。

レバノン政府は、二〇〇〇年三月一日、公式に、「日本政府からの送還要求に応じない」ことを閣議決定しました。あとは、亡命先を決めるだけでしたが、支援の人々がアラブ最大の祝日連休に入る日、岡本同志以外の四名は、極秘にヨルダンへと強制的に送られ、ヨルダンから日本へ送還されたのです。

ただし、岡本同志だけは、アラブの大義が地に堕ちてしまうと、レバノンへの政治亡命が認められました。それでも、四人の日本への強制送還に、抗議の流血デモが繰り返されました。岡本を守ろうとする解放組織や若者たちが立ち上がりました。そして、彼らは今もレバノンで岡本を支えてくれています。

岡本同志はレバノンにおける閣議決定による政治亡命の第一号です。

西側からは「テロリスト」と呼ばれる岡本は、アラブの懐に抱かれて今も生きています。

湾岸戦争——日本人を救出せよ

イラクはアメリカの攻撃が始まる前、一九九〇年秋から冬にかけて、イラクに滞在している外国人の出国を許可しないと言いだしました。また、外国人を集団的に収容する措置もとり始めました。

アメリカを中心とした多国籍軍の通告を無視し、イラクが、〝人間の盾〟として、西側の人々を人質にしていると、西側は騒ぎ立てていました。〝人質〟となった在イラクの外国人を避難させる必要がありました。

ドイツのブラント元首相は、社民党の平和主義を貫いた人物だったので、イラクに招待され、サッダム・フセイン大統領と話をして、ドイツ人〝人質〟を連れて戻りました。

当時、大使館員ほか多数の日本人がイラクにいました。アメリカの政策に追随しつづけていた日本政府は、無神経にイラク批判を繰り返していました。日本政府の言動は、イラク在住日本人の自由な出国をむずかしくするかもしれないという不安が、バグダッドの日本人の間で広がり始めていました。

欧州の政治家は、こうした緊急事態の対応に慣れていますから、どこで局地的な問題が起こっても、必ずルートをもっていて、自国の利害や、自国の国民の人権問題を解決する方法を知っています。

一九八二年ベイルートが包囲され、空爆の嵐の下にあった時ですら、フランス政府は解放組織との交渉のため、特別電話回線をもっていたほどです。

各国の政治家のおかげで、それらの国の人々は、自国の家族に手紙を出したり、連絡したり、許可を得て帰国する動きが出てきました。「日本人は、どうするのか？」と、いくつかの方面から私たちのもとに連絡が入りました。日本の政治家も政府も、きちんとシグナルを送ってきていなかったのです。

私たちは第一にアラブ人同士の争いに介入しないという立場をとっていました。一時的に対立するアラブ人のどちらかにつくことは、いつかまた、友人が〝敵〟になったり、〝敵〟が友人になったりする民族内の矛盾に左右されることになるからです。それゆえ、アラブ民衆の側から見て、政策的な批判はあっても、アラブ人同士の争いには介入しないという立場を基本にしていました。

同様にアラブ人は中東地域においては日本人を攻撃しないばかりか、反対に日本人を保護するという政策をとっていました。アラブで活動している日本人の動向は、さまざまな方面から情報が入るので、〃あくどい〃ことをしていない日本人を助けることはしても、攻撃したり妨害したりしないようにしていたのです。

一九八二年、イスラエルがベイルートに侵攻した時も、私の仲間は海岸沿いに住む日本人を何人か誘導して助けていましたし、一九八六年の南イエメンの戦乱の時にも、日本人を助ける役割を果たしました。また「賄賂《わいろ》を渡したために逮捕された日本人を助けてくれ」と、ある方面からの依頼に、何度か協力もしました。アメリカやイスラエルのスパイでない限り、日本人を助けてきました。

私たちは中東で生活していたので、在イラクの日本人の処遇をどうすべきかと問われたのです。私たちは日本人の解放を願いました。

日本は、一九七三年の石油危機以来、通産省の行政指導によりイランには三井系、イラクには三菱系と振り分けた石油確保態勢をつくっていました。外交交渉するルートは現地の大使館にもあったのです。

しかし政府と外務省のアメリカ一辺倒の発言は、大使館の役割を台無しにし、大使館側がフリーハンドで政治工作をする余裕を失わせていました。

「とにかく、来てほしい」という要請を受けて、私たちの仲間は、飛行機もヨルダン経由しか許されない制約された条件の下、イラクのバグダッドに行きました。私たちはバグダッドで、日本人の釈放、自由出国を望みとして主張しました。

いくつかの解放組織は、イラクに対する西側の恫喝《どうかつ》が戦争に発展するのに備えて、イラクに対し連帯しようと主張しました。

「日本人の釈放も、他の欧州の国のようにしっかりとした政治指導者が来て、連れ帰るということなら可能だ」という話になりました。とにかく当時は、私たちも日本との政治的チャンネルをもっていなかったので、社会党系の人々へと、いくつものコンタクトを介してつなぎながら、早期の釈放を急ぎました。

十一月、ちょうど国会が始まるとか、日本政府以上に社会党委員長がサッダム・フセイン批判をしたというニュースが入ったとか、もたもたしているうちに、日が過ぎるばかりでした。「とにかく、誰でもいいから、早く日本人を連れ帰れる政治家を」ということで、中曽根元首相が三菱との関係で動きだしました。

私たちに「中曽根でいいのか？」と問い合わせがきました。その流れでよい。私たちは表に出て何かするわけではなく、日本の人々が釈放されればよい。なぜなら、このままでは必ず戦争になり、戦争になれば、アメリカをはじめとする多国籍軍は、日本人の人質のことを真剣に考えないだろうし、そうなればイラク政府にも、特別に日本人を守るという考えはありません。特に日々、日本政府が無神経にイラク批判を繰り返していましたから。

私たちの仲間は、ちょうどばったり会ったバグダッド在住の日本人と、お互いに、この際だからと正体を名乗って、アメリカ一辺倒の日本の中東政策がいかに誤っているかを語り合い、日本人同士で盛り上がったそうです。

「中東にいる日本人は、商社員もジャーナリストも、いいセンスしてたよ」

バグダッドでのひととき、仲間はそう語ってくれました。

あなたが生まれて

出生をめぐる環境

お腹にあなたを抱えながら、パレスチナ解放闘争とともに歩む活動を続けることが可能かどうか、日々問われました。連合赤軍事件で日本の仲間たちは、沈黙と絶望のなかで去っていき、私たちは国内との組織的な関係をとうに失っていました。

リッダ作戦を担った奥平の仲間など、赤軍派とかってつながりのなかった人々と、新しく出会いました。

そしてパレスチナ解放人民戦線（PFLP）の力に依拠しながら、リッダ作戦後の生活を送りました。

PFLPの前身は、すでに述べたようにアラブ民族運動（ANM）という組織でした。

ANMは一九四八年、ハバッシュPFLP議長らによってベイルートで学生を中心につくられ、アラブの反植民地運動として行動を開始、ナセルのエジプト革命に触発されて成長した組織です。汎アラブ規模の民族運動だったので、インテリ、プチブル層、民族資本家など、多くの支援層がいました。

そういう人々は、リッダ作戦後、私が滞在するあちこちで、PTAのような役割を買って出て、私の生活を助けてくれました。

ANMの人々は、その後もあらゆる局面で助けてくれましたし、私は立ち寄る先々でそれらの人々の多様性に驚きながら、彼らの生活や家庭や人間関係を学び、彼らとの交流の輪をつくり上げました。

私がその輪にいることは、非アラブ人が共闘を果たした証《あかし》であり、PFLPにとってもリッダ作戦以降のPFLPへの連帯と共感を育てる意味があったのでしょう。

少しずつ、あなたが胎内で育つなか、私は、過重な防衛態勢と不自由さのなかで、時には友人たちと楽しみながら、そして時には、『これでいいのかな?』『皆はどうしているのだろう』と苛つきながら過ごしました。

日本との手紙のやりとりの不自由さには、本当に疲れるほどです。伝えたいことが伝わったのかどうかわかるのに、二カ月近くかかるという不便さでした。

会いたければ電話して会い、話したければいつでも話せる日本の社会のサイクルで考えることはできません。気を長くもって、太陽の恵みに合わせて生きる生活に自分を変えていくのに、時間と、精神の鍛練が必要だったと今は言えます。当時はたまらなく苛ついたこともあったけれど。

太陽を握って生まれてきた

出産の日が迫ってきました。盛んに蹴ったり、元気に動きまわるわりに、あなたはなかなか出てきません。たしか予定より数日遅れの、一九七三年二月二十八日夜、正確には三月一日の午前零時二十分に、あなたが私の体から離れて、泣き始めた瞬間が、出生の時刻として記されています。あなたは大きな子で、頭がなかなか出なくて、母親をてこずらせました。

三月一日は不思議なめぐり合わせの日です。あなたの生まれる二年前、私が二月二十八日に日本を発《た》ち、ベイルートに着いて、初めてアラブの土を踏みしめた時刻が、ちょうど、現地時間の三月一日午前零時二十分頃でしたから。

あなたは出てきて、ぎょろりと母親の眼を見て、それからフンギャーと泣きだしました。三千六百グラムの女の子でした。

新米の母親は、仲間のYさんらに助けられながら、初めての授乳をこなし、生まれたばかりのあなたを見守っていました。平和な安堵《あんど》感が体の奥からこみあげてきて、痛みも忘れて、しあわせを実感しました。

あなたは「太陽を握って生まれてきた娘！」と呼ばれました。

授乳はじめの日、あなたの握りしめた右手のなかに、何か真っ赤なものを見つけました。手を広げてみると、右手の小さな手のひらの、上の方、指に近い部分にちょうど一円玉くらいの真っ赤な円が描かれ、少し盛り上がっていたのです。小さな手の中に太陽を握りしめているようでした。のちに医者から、ストロベリー状のアザで、数カ月で消えるでしょうと言われたのですが、象徴的な出来事のように私たちは感じました。

そして実際に、一年も経たないうちにあなたの太陽は、いつのまにか、あなたの手のひらから消えていました。

生まれた日、まわりでは「美人だ！」と騒ぐ人から、「どこが？　猿っぽい顔じゃないか！」と言う人まで、あなたは皆の注目の的でした。限られた人々だけど、出産を知った人が美しい花籠《はなかご》をもって訪れ、病室を花でいっぱいにしてくれました。

革命の意味をかみしめて

ＰＦＬＰの人々は、ベイルート・アメリカン大学近くの病院の比較的高額な一室を、出産のために予約してくれていました。「秘密を守る」「モサドから身を守る」ためです。そこに二週間近く滞在し、あなたも私も母であり娘であるという関係と感覚に慣れた頃、私たちはそこを発って、山岳地帯の別の家へと移動することになっていました。

退院の日、入院費の精算に行ったはずのＰＦＬＰの同志がなかなか戻りません。そのうち何か言い争う大きな声が聞こえてきました。

やっと戻ってきた彼は、まだ肌寒い季節だというのに汗をかいています。着慣れない背広のせいではありません。彼はニコニコしてこう言いました。

「今、大げんかになったんだ。この病院の持ち主はパレスチナ人なんだ。病院側が、『金を取らない』と言って、聞かないんだ。出入りしているのがＰＦＬＰの人々だとすぐわかった、しかも日本人とくればリッダ作戦を闘ったあの日本赤軍の仲間だ、と。『礼を言うのは、こちらの方だ。我々はありがとうしか言えないのが心苦しい。どうか金なんか払わないでくれ！』と、拝むように言うんだ。ＰＦＬＰのリーダーに電話して、金を受け取るよう説得してもらい、やっとしぶしぶ少しの金を受け取ってもらった。『私もパレスチナ人だ！　民族のために闘ってくれた栄誉ある日本人が、わが病院に来てくれたのが嬉しい！　あいさつしてもいいか？』と言われた。これから、院長があいさつに来るんだ。いいかなあ？」

いいも悪いも、もう足音が聞こえます。私は荷物を整理して、病室に続くサロンに座って感謝のあいさつをしました。

「出産、おめでとう。そして、ありがとう。パレスチナのために！　アラブのために！　私は信じて言うが、このことはまた、日本人民のためになっていると思う！　あなたの娘に神のご加護がありますように！　わが病院の誇りです！」

院長が一気に直立不動でこう言うと、数人の看護婦と医師も並び、それぞれと握手したあと、「名前はつけたの？」と聞かれました。

「はい。メイと名づけました。メイは英語で五月。リッダ作戦の闘いの美しい月でもあります。メイは日本語で命《いのち》。アラブ語のハヤテという意味で、メイを取り上げてくれたドクター・ハヤテと同じ名前。そして、メイには、明るくするという意味もあります」と、欲ばって名前のメイに託した意味や想いを伝えました。

当時、数えるほどしかいなかった日本人の仲間たちと、この名前にあれこれ意味を付与したものです。リッダ作戦戦士たちの闘いと死を通して、命ということ、天命《てんめい》が革《あらた》まるという革命の意味をかみしめながら、メイという名に、新しい生を託したかったのです。

院長や看護婦さんたちは、移動ベビーボックスに眠るあなたの足下に、真紅の小ぶりのバラを盛って飾りつけたサッカーボール大のブーケをそっと置きました。

「おめでとう、メイ・ハヤテ、平和をあなたに！」「おめでとう、神のご加護を！」

そして、新米の母親の私と、親類一同のように緊張している日本人に、「元気な丈夫な赤ちゃんです。いつでも相談にいらっしゃい！」と励ましてくれました。

こうして、あなたが生まれ、あなたを家族の一員とする私たちは、新しい一歩を歩み始めました。

一九七三年三月十五日くらいに、病院を出たと思います。私の産後の肥立ちが思わしくなく、体調が回復するまでに、数カ月かかりました。

ベイルート郊外の山荘にて

生まれたばかりのあなたと、仲間のYさんらと、夏頃までベイルート郊外の山岳地帯で過ごしました。

私の産後の体調が整わないこともあって、ゆっくりとした休暇を必要としていました。あなたが生まれてきた世界に慣れることも必要でしたし、それ以上に、新米の母親やYさんら仲間が、育児やあなたに慣れる必要があったのです。

『スポック博士の育児書』の英語版と日本語版、両方を入手して、本を片手に、問題に対処しようと、新米の母親生活に入りました。

三月の中旬を過ぎた山荘のまわりには、見事な真紅のけしの花があちこちに咲きます。鮮やかな赤い絵の具を緑の原っぱにぶちまけたように、山に彩りを添えています。

黄色い花、真紅の花の群れが、山荘から山の斜面を下って、松林に沿って連なり、ベイルート市街地に向かって、美しく広大な花畑をつくっていました。

ベイルートからダマスカス街道のメイン通りを、アレーの山岳地帯へと登り、ダマスカス街道沿いから北に蛇行して延びる白いアスファルトの坂道を登ると、緑のなかに、大きな山荘群が点在しています。避暑地として使われる屋敷で、ＡＮＭの金持ちグループが所有しているもののようでした。

敷地には、メインの山荘を取り囲むように、大理石を敷き詰めた庭と、人工的な花壇が続き、庭の外れには、かなり深いプールが設けられていました。

敷地の一角は、ベイルートを望むスロープで、花畑と松林が山荘の下から始まって、数キロ続いています。

山荘では、パレスチナの友人たちが階下に、防衛隊を兼ねて十人近く、武装した状態で生活し、私たち日本人やあなたは二階の広すぎる部屋に落ち着くことになりました。

空気は少し冷たくて、おいしく、窓を開けるとベイルートが一望できました。

Ｙさんの助けを得て、洗濯、授乳などをこなしながら、穏やかなひとときを過ごしました。

新米の母親たちにとって、『スポック博士の育児書』は大切な教科書です。ベイルートの産婦人科医の実弟の小児科医は、母乳が足りない場合、セルラックという粉ミルクを計量して、定期的に与えることを教えてくれました。

引っ越してきて、荷物を解いて、その日から母乳とミルクを与えたのですが、夜泣きが始まりました。疲れて、寝ようと思っている時に泣かれると、切なくなります。どうしていいいか、わかりません。

同居している年かさのパレスチナ人が、「哺乳瓶で水を飲ませれば、大丈夫よ」と教えてくれました。教えられたとおり、湯冷ましを飲ませると、泣きやみます。「ああ、よかったね！」と新米の母親たちが寝床に入ろうとすると、また、「フンギャー！」と泣きだします。どうしたらよいのだろう、泣くには何か原因があるはずだ、お腹でも痛いのだろうか？　あなたを裸にして、どこにも怪我はない、ピンも刺さっていないのを確かめても心配で眠れない。湯冷ましを飲ませては二十分くらい静かにさせる、また泣きだす、を繰り返しながら、授乳しつつ、寝不足のまま山荘の第一日目を過ごしました。

階下のパレスチナの友人たちは、二階の様子を気にして、ベイルートに車を出して、小児科医を連れてきてくれました。

事情を聞いた医者に、

「それは、お腹が空いて、『ひもじい！』と言っていただけですよ。泣いたら、飲みたいだけミルクを飲ませなさい。彼女は大きな赤ちゃんだから、書いてある規定量では足りないだけですから」

とニコニコ笑いながら、言われてしまいました。

新米ママとしては、スプーン何杯と書かれていると、それより多くても少なくてもいけないのではないかと考えてしまいます。

日本の習慣、アラブの習慣

赤ちゃんのおくるみ一つとっても、アラブ式と日本式では違いました。

アラブ式は、両腕を伸ばしてぴったりと胴体につけ、両足ともくるくると簀巻《すま》きのように、白い木綿の布で、巻き上げてしまいます。首、背骨が柔らかいので、まっすぐに、しっかりと固定したほうがよいと説明されました。

日本で見た新生児のおくるみとくらべると、どうしても、「苦しくないだろうか⁉」と気になったものです。それで、ゆったりとしたくるみ方に変えるのですが、ＰＴＡたちは、それを見つけるたびに、「だめだめ。それでは赤ちゃんがかわいそう！」と、反対したものでした。

ＰＴＡの皆さんは、安全ピンにトルコ石の飾りをつけた「お守り」（魔除け）をプレゼントしてくれました。「どこに、つけるの？」と聞くと、おくるみの端だそうで、無防備な赤ちゃんを、このお守りが守ってくれるのだそうです。

次に、女の子だから「コヘル」を入れる入れないでも、楽しい悶着がありました。

アラブの習慣では、眼を保護するためと、「美しい子に育っておくれ」という願いを込めて、女の赤ちゃんには、生まれてすぐに、「コヘル」という、藍色のアイラインを引きます。

ＰＴＡたちは、「さあ、そろそろ、コヘルを引こう。眼を保護しなくてはね。コヘルを引くと、とびっきりの美人になるわ」と言い、私たちは、「いいえ、十分かわいいし、遠慮します。日本の子だから」と固辞します。

私たちから見ると、そのアイラインにはどうもなじめないからです。生後間もない赤ちゃんにアイラインを引くアラブの習慣には、とうとう従いませんでした。

次は、ピアスをするかどうかです。

アラブの習慣では、女の子はピアスをするのが普通です。「痛いのでは？　かわいそうだから、やめよう」と言うと、「赤ちゃんだから、まだ痛みの感覚が鈍いから、今がいいのよ」と言われます。まず純金のピアスをし、そのあと〝こより〟をオリーブオイルに浸して、それをピアスの穴に通し、少しずつずらすのだそうです。

今の若い人たちには、ピアスは別に珍しくはありませんが、当時の私たちの感覚からしたら、かなりの決断が問われることのように思えたものです。

「大きくなって、本人がしたかったら、やればいいから」と、これも、やっとのことで断りました。コヘルはしない、ピアスもしないと、PTAたちはずいぶんと不満そうでした。が、「かわいくて、立派な赤ちゃんである」という点では、私たちもPTAたちも意気投合していました。

でもあなたは、少し大きくなると、アラブの女の子と同じでないことが不満でしたね。ピアスがないために、「かわいい坊やだね！」と、よく言われてしまい、女性や女の子が大好きであったあなたには、〝坊や〟は禁句です。「私、おねえちゃんよ！」と、相手が納得するまで言いつのります。時々、いたずら好きのコマンドたちが「いや坊やだよ！」「かわいい坊やだよ！」と言い張ると、アラビア語と英語で、相手がOK！　と言うまで、女の子であることを主張しました。

日本の習慣や『スポック博士の育児書』に従って育てようとして、新米の母親たちは、あれこれとやりました。その最たるものが、日光浴です。

アラブの習慣では、赤ちゃんは戸外に出さない、日光浴などもってのほかなのです。「皮膚が丈夫になる」と私たちが主張すると、PTAたちは、「とんでもない！　赤ちゃんは皮膚が弱いから、太陽にあててはいけません！」ときます。

それでも日光浴をさせていると、彼女らは、「ツッツッツッ！」と舌を鳴らし、人差し指を振って、反対の意思表示をしたものです。外の清々しい大気をあなたにも味わわせたかったのですが、彼女らにしたら、「風邪をひかせてしまう！」と心配なのです。

頭と首を抱えながら抱くとか、おしめの替え方とか、病院滞在中に机上学習したことをそろそろと実行に移し始めました。

日本のおしめは長方形ですが、アラブのおしめは、ほぼ正方形の木綿布を三角にしてあてます。安全ピンでお腹のところを留めるのですが、お腹を刺すのではないかとおそるおそるやりました。

新米の母親たちがこわごわピンを留めようとすると、元気のよいあなたは、動きまわること、動きまわること！　それでなくても、赤ちゃんは腰がくびれていないので、おむつが止まるところもありません。もたついているうちに、また最初からやり直し、の連続。あなたがおむつを蹴飛ばすのが早いか、私たちが安全ピンをうまく留めるのが早いかという、ちょっとした競争でした。

ちょうどその頃日本から友人が訪れて、出産祝いの贈り物を届けてくれました。ある友人は、起き上がりこぼしのセルロイドの人形を「やっと捜しあてた！」ともってきてくれたのです。

また、天井から吊るすと、メリーゴーラウンドのようにくるくる回りながら、オルゴールを奏でるおみやげをくれた友人もいました。あなたはその音も、くるくる回る飾りを見るのも大好きで、機嫌が悪くても、それをかけてやると、ニコニコしたものでした。

別の友人は、甚平《じんべえ》さんをプレゼントしてくれました。あなたが生まれたことをこっそり伝え聞いたおばあちゃん（私の母）は、浴衣を縫って人づてに送ってくれました。その浴衣を着た当時の写真が今もあります。

みんな、それぞれに、自分の赤ん坊の頃、子供時代の思い出に基づいて、想いを込めてくれました。

母は狙われている

その山荘にいる頃、四月にはベイルートで、イスラエルによる一斉暗殺攻撃が行われ、ベイルートをパニックに陥れました。

パレスチナ解放機構（PLO）のアラファト議長に次ぐ実力者のアブ・ユセフやアブ・アドナン等ファタハ左派の中心幹部を奇襲して四箇所で殺害しました。リッダ作戦のあと、一九七二年九月に、アラファト議長グループの「黒い九月」が実行したミュンヘン・オリンピック村への攻撃に対する報復暗殺であり、そしてPFLPのハバッシュ議長やアブ・ハニ国際部長、「黒い九月」のリーダーや、私たち日本赤軍は、居住場所をかえていたため助かったのだと言われました。

ミュンヘン・オリンピック村を攻撃した部隊のうち、生き残って逮捕された三人のコマンドは、一カ月後の十月には、ドイツのルフトハンザ航空機ハイジャック作戦によって釈放され、リビアに戻り、英雄としてすでにアラブの前線に復帰していました。

報復可能な都市としてイスラエルが選択できるのは、自由都市ベイルートしかありません。イスラエルが退路、逃げ道を確保して攻撃できる唯一のアラブの都市がベイルートです。ベイルートは、それほどすべての西側世界、東側世界に開かれた街だったからです。

リッダ作戦の日まで住んでいて、みんなに説得されて一時避難のためしぶしぶ抜け出した私のアパートの前は、アブ・ユセフたちの拠点でした。

イスラエルの部隊は、確実に標的であるそうしたリーダーたちの部屋に入り、暗殺し尽くしました。唯一、銃撃戦になった難民キャンプでは殺されたイスラエル兵もいましたが、総じて、完全な奇襲攻撃でした。

こうして、ファタハは貴重なリーダーを失い、甚大な被害を受けたのでした。イスラエルは、海に軍艦、海岸沿いに乗り捨てた数台の高級車、ホテルと空港のデータには偽りのフランスとイギリスの旅券という痕跡《こんせき》を残していました。

調査の結果、それらの痕跡は「外から来て、攻撃して去った」と見せかけるための小道具で、本当はレバノン内に潜伏している情報機関とその協力者が動きまわったのです。

私たちの仲間も事後調査に協力し、外人ボランティアのうちレバノン人、カナダ人など何人かが、確実におかしな存在であることを突きとめたりしました。

そして五月初めには、ベイルートのパレスチナ難民キャンプの、サブラ、シャティーラをめぐるレバノン内戦の前哨戦が始まりました。

一九七〇年秋の、ヨルダン内戦を経て、ＰＬＯの政治勢力、民兵らが、比較的自由なレバノンへと日々集結し、ＰＬＯとしての力を拡大していきました。それは自由金融貿易都市としての役割を担うベイルートを首都とするレバノンにとって不都合だと、キリスト教右派勢力が警戒をし始めたからです。レバノン内でのパレスチナ人の地位をめぐって対立が激化し、特にキリスト教勢力はパレスチナ人の武装解除を求め始めました。そして、レバノン軍がシャティーラ難民キャンプを包囲し、管理強化に乗り出したのです。

同じアラブ人として、イスラエルから追放され、土地も家も奪われたパレスチナ人に同情的だったレバノン民衆は、政府の措置に異議を唱えていました。キャンプを包囲したレバノン軍が空爆に出て、キャンプ攻撃を始めました。

レバノン人民勢力には、それまでナセルを信奉する民族主義者やＡＮＭの人々、レバノン共産党などがいました。加えてイスラム教の一派ドルーズに基盤をもつ進歩社会党の人々も加わって、ナセリストやレバノン共産党のイニシアチブの下で、キャンプを包囲しているレバノン軍の背後を逆封鎖、逆包囲する行動をとりました。それが、レバノン人民の勢力を二分する、のちの十五年戦争と言われる内戦へとつながるわけです。

当時は、それまで政府のやり方に不満をもちつつ、物質的な力のなかったレバノンの人民勢力が、本当に、ある日忽然と背後から武装逆包囲をしたことは、アラブじゅうの大ニュースとなりました。アメリカ、イスラエル、欧州の指導者たちはショックを受け、レバノン軍を支持する声明を次々と繰り返しました。非同盟諸国、ソ連・東欧諸国は、パレスチナ側に理解を示しました。

昼間は、政府軍が空爆を含めて難民キャンプを制圧しつづけました。レバノン空軍機が空気を切り裂きながら急降下し、降下しきったところで、ロケット弾を発射して急上昇すると、キャンプの一角に土煙が上がるのが山荘からも見えました。そのたびに私たちは、誰か友人、知人が殺されたり、怪我をしたりしたのではないかと、気が気ではありませんでした。

夜は、人民たちの時間です。キャンプを防衛するパレスチナ勢力と、レバノン軍の背後を包囲するレバノン民衆のゲリラ戦が呼応して、レバノン軍に対する攻撃が始まります。

夜、山荘から、ベイルートの市街を弧を描いて曳光弾《えいこう》が飛び交い、時々照明弾が一角を明るく染めながら、キャンプ戦争が進行するさまが見えました。

『あなたを産んだけれど、あなたに苦労を強いながら生きていくことになる。いつか、私の想いはわかってもらえる時が来るかもしれないけれど、ごめんね、メイちゃん。あなたを育てるなかで、私自身も変わりながら、育っていきたい！』

私は若すぎて、小さすぎて、リッダ作戦の戦士が拓いた地平を発展させる力がないことに、日々、こだわりつづけていたのかもしれません。私は望まなかったけれど、命をささげることを厭わなかった戦士たちの遺志を、どう継承したらよいのだろうか。

いったん歩を進めた以上、リッダ作戦の戦士たちの闘いを日本の革命につなげるまでは、責任と義務を引き受けるつもりだ。そんな想いを、闘いのなか、失われる命と生まれる命への想いを、あなたに託しながら、私は自らの再生を求めていたのかもしれません。

その山荘も、それから数カ月後、イスラエルの空爆で破壊されてしまいました。爆弾は、プールの方に数メートル外れたために、数名の負傷者だけで死者は出ませんでした。ガラスの破片が刺さったり家具に押し潰されたり、重傷の人もいましたが。私を狙った空爆だと、パレスチナの人々は、のちに教えてくれました。

二つの社会をもつ子供

「ママちゃん、あなたがしっかり私の手を握っていないとダメよ。私がしっかりママちゃんの手を握っても、ママちゃん、あなたは握っていないんだから。迷子になったら、ママちゃん、あなたが困るんだからね！」

小学校に上がったばかりのあなたは、そんなことを言うしっかり者でした。私や仲間たちが、私たちの都合とプログラムで活動しているなかで、この人々と生きていくにあたって、自分がしっかりしないと生きられないのではないか？　そう思ったのかもしれませんが、いつも私たちを批判・保護・点検する視線で生きてきたヘンな子供でしたね。

三歳の時、あなたが三輪車で、隣のオジサンのベンツの自動車と本当に真剣に競走していた姿を思い出します。おじさんがゆっくり走ってくれているとも知らずに、あなたは必死で三輪車をこいでいました。

四歳の頃、大人たちが近所でどう思われているかを知らせてくれたあなたは、言ったもんです、「あなたたちは、商売人と言ってるけど、近所の人は、パレスチナの友人の日本人だって」。

五歳の頃、幼稚園で、私は先生に言われました。

「困るんです。神について教えていると、メイちゃんは、『先生、アッラーを見たことありますか？』と言うので、『ありません』と答えたら、『なんで、偉い、すばらしいとわかるんですか？』と聞くので、教室の子供たちが、メイちゃんの疑問が嬉しくて騒ぎだし、授業にならないんです」

でも仲間の話では、その頃のあなたは、私たち大人に不満があったり、怒られてちょっと頭にきたりした時は、突然、「私、モスレムよ」と言って、お祈りを始める子供だったようです。ふざけているのではなく、二つの文化世界と、どう折り合いをつけてよいのかとまどっていたのでしょう。アラブではごく少数民族の日本人のなかにいて、日本のことは知らないし、アラブ人社会と日本人社会を出たり入ったりしながら、成長を遂げていったのでしょうか。

母親を守る母親びいきのメイちゃん。皆で会議をしていると、小さなあなたが、コーヒーをいれてくれました。「インスタント・コーヒーはティースプーンに一杯分を入れて、お湯を注ぐ」と教えられて、皆のぶんを作って運んできました。お盆で運ぶには腕が細すぎて、ワゴンで運んできました。「ありがとう！」「おいしい！」と皆が飲み始めましたが、私のは苦くて飲めないのです。濃すぎるのです。「飲めなーい！」私が悲鳴を上げると、あなたは、「いちばん美味《おい》しくなるように、ママちゃんのは、五杯コーヒー入れたの……」と、恥ずかしそうに言いました。

三、四歳の頃は、大人のコピーのような遊びに熱中するものです。私がよく字を書くので、あなたは、ノートいっぱいに遠目には整然と字が並んでいるような落書きが上手でした。スケッチブックにも、ノートにも、そんな並んだ字が書かれていました。

パレスチナの友人が訪れて、閉め切って会議をしていると、スケッチブックをもってノックをして、「ねえ、あなたの番は終わりよ。今度は、私の番だから代わってちょうだい」と、言いに来るのです。

多くの大人と一緒に生活している時期もあります。そういう時は、あなたが先生で、日本人の仲間にアラビア語を教えてくれます。かなり厳しい先生で、宿題が多く、間違えると繰り返し書いてくるよう言われます。

また朝の当番も大好きで、食事当番も小学校の頃から始めました。皆のぶんの卵焼きをつくってくれますが、「私、インベンション（発明）、大好きなの！」と、毎日、卵にすいかを入れたり、きゅうりをまぜたりと目新しいメニューで、私たちを驚かせてくれました。

少数山岳民族・クルド人

五、六歳の頃、ある時、あなたは自分より大きなアラブ人の子供とけんかをして、泣きべそをかきながら、帰ってきたことがありました。「人間て同じ。誰でも友達だよね！」と言いながら、涙をいっぱいためています。「どうしたの？」と聞いてみると、こうでした。

近所の建設中のビルに、工事の労働者の家族が寝泊まりしていました。その家族はクルド人でした。アラブでは、ビル建設工事などに、アラブ人以外の民族も、アフリカや他の地域からよく出稼ぎに来ています。

クルド人は、パレスチナ人同様、欧州列強によって、自分たちが先祖代々住んできた土地に勝手な国境線を引かれて、自分たちの国をもったことがない少数山岳民族です。

地理的には、トルコ、イラク、イラン西北部に跨《また》がる山岳地帯にもともと住んでいますが、シリア、その他のアラブ諸国にも分散しています。

欧州列強がオスマン・トルコを滅ぼしたあと、この人たちの土地を分割したのは、第一に、石油がイラク北部に出ること（キルクーク油田がある。南部のモスルと並ぶ二大油田）、次には、トルコ、イラク、シリアの三国の水資源を押さえる要所であるからとされています。もし独立できていたら、豊かな石油、水資源に恵まれた国ができたことでしょう。この二大戦略資源を抱えるクルドの故郷は、分割され、クルド人は各国内で少数民族として、迫害・差別されてきました。

トルコではクルド語を話すことすら許されず、南部の最貧困地帯に住む二流市民的存在です。イラクでは、形だけの自治しか認められない存在でしたが、湾岸戦争後、アメリカ政府のイラク制裁の口実の一つになっています。

パレスチナ人がイスラエルに対する解放闘争を繰り広げたように、クルド民族も、独立の悲願を掲げて、各国内で闘ってきました。

問題は、いくつかの支配的部族間の抗争を自分たちで解決できず、トルコ、イラン、アラブ各国政府の思惑に振りまわされ（時には、援助を受けても、政治取引の切り札の一つとして、国策が変われば援助打ち切りとなる)、そしてイギリス、次にはアメリカの切り札として使われてきたという歴史です。イラク、イランでは、バラザン族、タラバン族などが主要な部族とされています。

彼らは、時には連合を組むことはあっても、たとえばトルコ政府がEU加盟を果たすための前提条件として、彼らに対する姿勢を軟化させ、和平交渉を提案すると、大体は主導権を争って抗争し合い、統一した民族解放指導部を形成できていないと聞きました。

トルコでは、クルド労働者党のオジャラン議長が誘拐・拉致《らち》され、死刑判決を受けたものの、EUの介入で執行を免れている現状です。

欧州には、出稼ぎ・移民労働者のクルド人が多いため、オジャラン議長の死刑執行は、EUにとっては望ましくないことです。自国内のクルド人労働者の暴動の可能性や、トルコ国内がさらに民族対立で不安定になるのを望む政府はありません。

EUはトルコの近代化・安定を望み、トルコは早くEU加盟を果たしたいので、妥協が成立したのです。つい最近でも、フランスのコートダジュールにクルド人難民が四百名ほど漂着し、難民申請をしているというニュースがあったばかりです。

こうして、各国の貧困層として、欧州やアラブ諸国に出稼ぎに来ているクルド人は多いのです。出稼ぎ者の家族は、その工事現場で寝泊まりするために、シャワーもなく、清潔とは言えません。ちょうどそのクルド人の家族に、あなたと同じ年くらいの女の子がいました。あなたと数人の友達は、その女の子と一緒に遊び始めました。遠くで見ていたアラブ人が、「汚い子供と遊ばないように」と、一緒に遊んでいた子供たちを引き上げさせたのです。あなたと仲良しのスアードちゃんを除いて、アラブ人の子供たちは無理やり家に帰らされました。

その後、アラブ人のお兄ちゃん数人が来て、クルド人の子に「汚いクルド！ 帰れ！」と、箒《ほうき》で押し返しました。あなたとスアードちゃんが、「やめて！」と間に入ると、お兄ちゃんたちは、あなたとスアードちゃんも箒で押したり、叩いたりしました。「やめて！ 人間のくせに。あなたは動物！」。アラブでは、人間らしくない振る舞いをすると、「動物め！」という非難をします。あなたたちに動物となじられて、お兄ちゃんたちは怒りました。それでまた、ぶたれて、半泣きで抗議すると、彼らもいなくなったようです。

「よかったわ。あなたが、箒でクルドの子を叩く子だったら、ママちゃんは悲しいけど、あなたとスアードちゃんは、とってもよい子よ。クルドの子と一緒に遊ぶメイちゃんがいい」と言いました。「クルドの子かどうか知らない。あの子がいい子なの。友達なの。だから、また、遊んでいいよね？」と言って、あなたはニッと笑いました。あなたはいつもフェアで、私たち大人も教えられることが多かったのです。

パレスチナ難民キャンプで

パレスチナ難民キャンプで過ごした日々を思い出します。

パレスチナ難民キャンプは、レバノンではほぼ十箇所くらいあります。当時でも五十万人近いパレスチナ人が難民キャンプに住んでいました。なかでも大きいのは、サイダにあるアイネヘルエ・キャンプ、ベイルートにあるシャティーラ・キャンプ、南部の海岸沿いにある美しいラシャディーエ・キャンプなどで、私たちはよく居住地にしたものです。

難民キャンプには、おのおのの解放組織が事務所をもっており、人々は理論や路線よりも、血縁・地縁のコネクションで解放組織を選んでグループを形成していました。解放組織は、働き手のコマンドに月給を払うので、〝月給をもらう革命家たち〟に当初はびっくりしました。

国連の難民地位協定の〝おかげ〟で、働くこともできない彼らは、解放闘争へ参加することによってささやかな家族支援として金銭を補助されていたにすぎず、日本で考える月給だったわけではありません。

そしてアラファトを議長とするファタハは、他の組織に比べて、一・五倍から二倍の〝月給〟（専従費のような家族補助）を支払うので、月給の遅配や停止があるPFLPなどより、ずっと人気がありました。こうしてファタハは、多くの人材を吸収し、当時から最大勢力としてキャンプ内にいました。

キャンプには治安を守るPLOの組織があり、キャンプ内で自衛のために武器を保持することは許されていました。しかし難民キャンプには治外法権のような自治・自衛武装権があったので、各国政府から反政府活動の拠点という疑いの眼で見られていたのも事実です。

ヨルダンでも、レバノンでも、政府の〝スパイ〟が、パレスチナ難民キャンプ内に情報網を張りめぐらせていました。アラブの情報網だけではなく、最も危険な暗殺部隊としてイスラエルの情報網があり、その姿は巧妙に隠されていました。

しかし情報は確実に掌握されており、イスラエルが破壊と暗殺を決断した時には、解放組織は決定的な被害をこうむっていました。

一九七二年のリッダ作戦後も、七三年のキャンプ戦争前の四月にも、イスラエルは、ベイルート市内のキャンプとキャンプの指導部へ大規模な奇襲攻撃をかけたものです。

だから、ＰＦＬＰの人々は、私たちがキャンプを訪れること、キャンプに住むことに徹底して反対しました。

リッダ作戦以降、「イスラエルが手ぐすね引いて待っているから」と、それまで毎日のように出入りしていたキャンプに行けなくなりました。

そうして、あなたが少し大きくなると、私は、あなたがキャンプの人々とともに生活したり、友達をつくったりすることを望みました。パレスチナの人々の生活のなかには、助け合い、恨み、正義、利己主義など、いわば庶民の歴史が剝き出しにあります。

もちろんアラブ社会は、イスラムの教義の「他者をいたわる」という徳目をたいへん大事にする社会です。アラブ社会の宗教的考えや習慣には、日本の戦後、ちょうど、私が子供時代に学んだ、貧しいけれど庶民が助け合うという心情が生きています。

アラブ人のよいところは、一人が不幸になった時、決して、その不幸な人を見殺しにしないという気持ちが強く、共同体意識が強いことです。

かつて、ヨーロッパの国境地帯で見た光景を思い出します。

一人のアラブの若者が、何らかの理由で汽車から降ろされ、入国不許可になった時のことです。一等席にいたアラブ人から二等席のアラブ人まで、国境事務所にあっという間に押し寄せて、口々に、「その若者を助けてほしい」と騒ぎだしました。

アラブ人といってもさまざまな国籍の人々です。数時間も汽車が停車したあげく、くだんの若者は入国が認められ、再び汽車に戻り、皆の大歓声を浴びました。知り合いではないけれど、「ハラーム!」(「かわいそうに」という意味のアラビア語)と言って、皆、地位や立場に関係なく一緒に助けようと〝出撃〟してしまう行動力とエネルギーに驚かされたものです。

その後、汽車のどこから手に入れたのか、アラブ人たちは小さなカセットコンロで湯を沸かし、コーヒーをいれて、私たちのような非アラブ人に、「汽車が遅れてごめんなさい」と謝りながら振る舞いました。この無法なコーヒー沸かしの技に、私はびっくりしました。西欧の基準とは違う基準で生きている人々だと、私の隣のヨーロッパ人も唸《うな》っていたほどです。それは、ある時には共感を、そしてある時には反感を買うものです。

こういうアラブ人のなかにいて、難民キャンプに何かあるたびに行くだけでなく、あなたがキャンプで生活するチャンスを見つけました。

パレスチナ人の友人の家族が、出稼ぎ先のラテン・アメリカからレバノンに戻ってくるというのです。戻ってくるアブ・ホワード・ファミリーの一員として、あなたはシャティーラ・キャンプの住人になりました。

ちょうどキャンプの小学校に入れてもらおうとした頃ですから、一九七九年の夏でしょうか。顔見知りのアブ・ホワード・ファミリーの娘で、国連の機関の小学校教師をしているナディアにアレンジを頼みました。

ディズニーのキャラクターのついたリュックサックを背負い、ナディアに手を引かれて、スキップしながら、「バイバーイ！」と手を振って、あなたは小さな日本人社会から離れていきました。

すでに一九七八年、イスラエルは国境から十キロ入った地域までをイスラエルの「安全保障地帯」と宣言し、イスラエル北部国境にパレスチナ勢力のカチューシャ砲撃が届かないようにという口実で、レバノン南部地帯の占領を始めていました。

リタニ川以南の地帯を、キリスト教右派を軍隊として訓練しながら、占領したのです。

こうして始まった南部占領は、その後二十二年間続きましたが、イスラエル軍を敗退させ、キリスト教右派民兵組織を壊滅させたのは、レバノンの人民勢力、特に「神の党」などの長い、長いゲリラ戦でした。

国連のレバノン暫定軍（ＵＮＩＦＩＬ）が七八年から、イスラエルとレバノン―パレスチナ勢力の兵力引き離しと、停戦監視態勢をとり始めました。

小競り合いが起きるたびに、イスラエルは、フェニキア時代の美しい都市だったティール（私たちは、スールと言っていました）や、サイダやベイルートにある難民キャンプを空爆で破壊していたのです。

そういうなかでのキャンプ生活では、私たち日本人と無関係になってこそ、あなた自身の安全が保たれます。あなたは、どうだったでしょうか？

あとで、ナディアが楽しいエピソードをたくさん語って聞かせてくれました。

入学した学校は、鉄の滑り台があり、ブランコも鉄の台です。ジャスミンの木が校庭の一角にあるだけで、コンクリートの庭には、灼熱《しゃくねつ》の太陽が照りつけていました。

木陰では、大人の教師たちが、こってりと甘いアラブ式紅茶を飲みながら、ひと休みしていました。

庭で遊ぶことを強いられた子供たちは、滑り台も、ブランコも熱すぎて座れなかったようです。

誰が言い出したか、「先生はずるい！　日陰で甘いものを飲んで、子供は遊ぶこともできないなんて！」ということで、話に熱中している先生の後ろに回って、こっそりと、こってりした角砂糖を子供たちは一つ一つ全部舐《な》めてしまったのでした。もちろん、あなたも、その一人です。

授業も上々、そして忘れがたい友人をたくさんつくりながらあなたは過ごしました。「アラビア語だってアラブ人より上手だし、宗教なんかいちばんよくできたよ！」と、ナディアは嬉しそうでした。

パレスチナ国旗をつくったり、地図を描いたり、パレスチナの歴史を学びながらつくったたくさんのキャンプの友人は、大人になった今も、あなたの友人として仲良くしてくれているようですね。

ウィー・アー・ジャパニーズ・レッド・アーミー

七〇年代、ちょうどあなたが学校に行き始める頃までは、私たちはさまざまな活動をしていました。

リッダ作戦以降、それを契機としてPFLPの政治活動を担う人々と、国際ボランティアの各国の人々や欧州の革命を目指す武装グループなどが、さまざまな協力と共同を拡大し始めました。

特に国家ではなくて、革命成功に至る過渡期の闘いを担っている人民勢力同士が助け合うための政治的基準づくりや、協力と共同のプロジェクトづくりが進められ、ネットワークのように三大陸に広がりました。ラテン・アメリカ、欧州、アジア、中東、名の知れた解放組織は各国からベイルートを訪れます。

六〇年代の希望だったキューバ・ハバナの「トリコンチネンタル」（三大陸）という革

命情報誌に代わって、七〇年代初頭、ブーメディエン（革命評議会議長、のちに大統領）の率いるアルジェリア、ニエレレ（大統領）の率いるタンザニアの首都（七三年まで）ダルエスサラーム、そして七〇年代半ばからベイルートが、世界の人々の集結場所になっていました。

非同盟諸国の気のきいた大使館は、政治討議のサロンのように賑わい、あちこちで映画の上映、音楽会、解放への共同のための代表者の協議が行われていました。

もちろん姿の知れないアメリカ、イスラエルの情報機関も暗躍しているはずですが、フィリピンとか、インドネシアとか、東チモールの人々もいました。

アジア人でフィリピンのミンダナオに解放放送局をつくろうということになり、フランス、日本の技術者たちが協力して、第三世界支援の技術開発が進みました。

こうして楽しく広がる革命のステーションは、欧州、中東、アジア、アメリカ、ラテン・アメリカにつながっていました。つながっているぶん、一つのステーションでの失敗は、他の人々にも打撃を与えます。

私たちは、日本で夢想していたことが次々と実現されることにとまどい、驚き、そして、半ば有頂天で、実力と実態をわきまえずに、何とか〝役に立つこと〟をしようとはりきっていました。

でも、その連帯には、素人も玄人も含め、お互いの実力を過大に評価しながら助け合い、実力がないのに無理して引き受ける、という危なっかしい側面もありました。

そのなかで、共同武装闘争として日航ジャンボ機ハイジャック、ベトナム人民に連帯してシンガポール製油所爆破等の闘いも続いていました。

そのぶん、パレスチナ解放武装勢力と共同する私たちや、欧州の武装グループなどに対する、日本、アメリカ、欧州など西側政府による追及・逮捕が激しくなってきました。

私自身、合法的に出国したにもかかわらず、七四年から突然、逮捕状が出ているという口実で、国際指名手配になりました。

モサドから逃げるための非公然活動は、いつからか、正々堂々と闘う術を奪われ、私たちはインターポール（国際刑事警察機構）の〝お尋ね者〟として、「テロリスト」のレッテルを貼られ、追われるようになりました。抗議をする方法をもちえず、ますます日本と離れていく状態を克服することができませんでした。

アラブの地で、日本赤軍として生きて生活する限り、隣人が素性を知れば、身内のように助けを買って出てくれます。同時に、それは安全の面ではマイナスで、「赤軍がいるよ!」と、いつでも評判になってしまいます。評判になると、私たちを捜している日本政府に情報が流れるだけではなく、暗殺や爆破が日常茶飯事の中東の地では、不測の事態を招きます。

学齢に達する以前には、あなたと一緒に住むことができましたが、学校に行くようになれば、私たちの存在はあなたを危険にさらします。また、あなたの存在は、私たちにも危険を持ち込むでしょう。

小さい時は、そういうことが理解できないあなたに、いつも計画変更や、引っ越しという負担をかけながら生活してきました。

一九八一年、八歳の誕生日に、大人たちはこう決めました。メイもこれから大きくなっていく、七八年以来、レバノン南部へのイスラエルの侵略は続いているし、これからどういうふうになっていくかわからない。

私たちがどういう人々で、何をして、メイはどういう条件にいるのかを、話したほうがいいんじゃないか? 理解不能のことがあるかもしれないけど、我々が何者かは、知っておいてもらおう、ということで、ケーキを買い、飾りつけをし、あなたの誕生日を祝いながら、私から、あなたに話しました。

「私たちは、ジャパニーズ・レッド・アーミー、（アラビア語で）ジェイシ・アル・アハマル・アル・ヤバーニー……」

と説明すると、あなたは、ニコッと笑って、

「知っているわ。三つか四つの時から知ってる。でも、あなたたちが知ってほしくないと、いつも隠すようにしていたから、私も知らないふりしてたの」

と言ったので、皆で唖然としました。子供だから理解できないだろうと、よちよち歩きのあなたのいるところで、ひそひそ話をしていた数々のことは、しっかりとあなたの頭にインプットされていたのですね。そして、だからこそ、自分の力で生きていかなければと、いつも思っていたのでしょう。

まだ泳げない魚のよう

ある時、あなたはこう言いました。

「どうしていいか、わからない」

十三歳くらいでしょうか。小学校から、いわゆる中学校へと移る時だったと思います。アラブの社会で私たちは、九〇年代以前は、比較的政府の保護下にあって、安定した社会生活を営んでいました。ただ、モサドや日本・西側機関からの情報収集や、暗殺に気をつけていましたから、安定はしていても、さまざまな制約を受けざるをえませんでした。

比較的勉強もできて、明るくしっかり者のあなたは、子供TV番組の司会だとか、何かの代表だとかに指名されがちでした。そのたびにさまざまな理由をつけて、辞退しなければなりませんでしたね。注目されたくないという、私たちのために。

ある日、空《むな》しい気持ちをあなたは、こう表現しました。

「普通の人は、川で魚が泳いでいるみたいに、お母さんにゆっくり教えてもらえる。水は冷たいのか、まわりはどんな環境なのか、それからどうしたらうまく泳ぐことができるのかを教えられて、手取り足取り一緒に泳いでもらいながら、成長していくと思うの。だけど、あたしは、気がついたら、泳がないと沈んじゃう！　とにかく、わけはわからなくても、生きていかなくちゃいけないんだと、夢中で、アップアップしているみたいなの。自分が生きてることとって、そういう感じがするの」

そう言いながら、泣いて抱きついてきましたね。

私が〝お尋ね者〟のために、あなたの人生を、自由にしてあげられない。あなただけで生きていけたら、どんなにいいだろう、母娘関係を、私も、あなたも、分かちがたくもちながら、そんな葛藤のなかに小さなあなたをおく母親って、失格ですね。でも、そういうことが、あなたを、そして私をも鍛えてくれたのかもしれないと思いながら、私は、あなたに心のなかで詫《わ》びていました。

育児が私を変える

長い歴史のなかの小さな存在

あなたに乳をふくませ、あなたが心地よさそうに乳を飲み、少し重量を感じるあなたを抱いている時、私は何を考えていたでしょうか。

ある時は、父や母を想っていました。こういうふうに育ててくれたのだと。敗戦があり、食糧危機があり、食べ、生きることに精一杯だったあの時代に、私を生かしてくれたのだと、思い描きました。

どんなに希望と愛を込めながら、両親は私を育ててくれたことだろう。それなのに、自分一人で育ってきたように、どこかで錯覚し、両親の痛みを深く問わず、アラブの地へと来たことを思いました。

父は、教師になった私と、僻地《へきち》で魚釣りでもしながら過ごしたいと言ったことがあります。今、父の願いを実感できます。

人々が代を継いで生きていくこと、人間のドラマがつくる歴史を間近に感じます。人は誰でも、言えない、書かないドラマを紡ぎながら、次の世代へと、歴史を重ねていくのだと思います。

今、この小さな命もまた、私を彼方へと置き去りにしながら、歴史をつくっていくのだろうと、あなたを抱きながら思いました。私たちは、同時代・同世代の環境、社会、世界という横のつながりと空間を特性としてもちつつ日々生きています。あなたは母親である私と共有しない時代をもちながら、新しい歴史をつくるのでしょう。かつて、父親母親世代の歴史、戦争史を背負わないで生きてきた私たち戦後世代のように。

こうして、父や、父の父、私やあなた、あなたの子供へと想いを馳《は》せると、これまでより長いサイクルが見えてきます。これまでの自分が、限りある肉体と生命をもつ者としてしかものを考えてこなかったことに気づきます。

これまでは自分が生きるサイクルを中心に、社会も、革命も考えていたのだと思います。戦争中、または戦後も、苦闘したであろう革命の先達に想いを馳せることもなく、「ダメな先達、ダメな革命」と切り捨てて、自分たちの闘いのみを図に乗ってよしとしてきたように思います。

歴史と人の流れの継続性に、よりよいものを見出し、そのなかに自分の存在と役割を位置づけようとする姿勢は、あなたの生命を通して、私が捉えることができたものです。長い歴史のタームで、革命を考え、自分たちの小さな存在と役割を捉えるようになりました。

あるがままの姿で出会う

「世の中をよくしたい！」という想いで子供時代を過ごし、その延長線上で学生運動に入りました。あなたと向き合いながら、これまで、たくさん無理したり、格好つけたりしながら生きてきた自分を発見します。

学生運動では、やっぱり、たくさん無理をしてきたし、それはたぶん私だけではないでしょう。当時の多くの仲間も「武装闘争」という国内の闘いのなかで、『これでよいのか？』と思いつつ、無理していたのだろうと思います。

本音でつきあう、正直な関係を抜きにして、人と太い信頼を築くことはできません。語り合うこともできません。

にこやかにあいさつをして〝格調〟でしめくくるアラブ式の相互訪問においても、あなたがいるために、あなたがいるからこそ、本音でつきあわざるをえなくなります。途中で泣きだすとか、勝手に走りまわるとか、相手の膝でおしっこしちゃうとか、病気や、怪我をするとか、大人たちの形式やスタイルをあなたはズタズタに破壊しながら、正直で本音の関係を軸に生きる道、方向をつくってくれました。

共生には、あるがままの姿で出会うという、正直な出会いが必要です。革命組織とか、解放運動といっても、所詮、人間と人間の関係が基本です。

海千山千みたいに、相手を利用しようとか、幻想をもって過大にまつりあげようとか、そんなゆがんだ関係に陥らないように、いつも注意してきました。私たちがその点を注意するようになったのも、あるがままに共に生きるなかにこそ、力が生まれることがわかったからです。

また、共生は、〝自己主張〟をとりあえずは脇において考えなければ、なかなか育たないことを実感しました。

相手の立場に立って、相手を思うがゆえに相手のことを考える。相手の立場に徹底的に立って考えて初めて、人々が共同し、共生できることを学びました。

共生の条件

あなたとつきあいながら、アラブの人々とも国際的な友人たちともつきあいます。そこから学ぶ共生では、自分を絶対化して自己中心的にものを考えることとは反対の考え方が問われます。それはきっと他者と自分との位置を計りながら相対化して考えるなかで、自分の意志を育てることでしょう。

日本でのかつての党派の活動の仕方を考える時、共生をそもそも否定するような「自己の無謬《むびゅう》性（理論、判断などに誤りのないこと）」を柱にしていました。自分も間違う、人も間違う、間違わない人はいない。しかし、無謬性に価値をおく限り、間違わないことを証明しようとします。

それは、裸の王様のように人間性の小ささを示すことでしょう。共生ではなく、支配と隷属《れいぞく》の関係にしてしまうでしょう。党派闘争って、そんな貧しさがあったと、今は思います。

自分をたくさんのなかの一つである、と認識する考え方から出発することによって、多様性を認め、共に生きる関係、共生を育てていくのです。

パレスチナ問題のなかで、共生について考えてみると、ユダヤ人とパレスチナ人の共生はできないのだろうか？　私は、共生は可能だと思います。共生を損なっているものを取り除けば、人々は、共に生きることができるのです。

共生を損なっているものの第一は、歴史です。歴史的な間違いをまず犯したイギリスが謝罪し、公正な共生の条件を育てることです。それが今も正されていない以上、無原則に、共生を押しつけられる人々は怒るでしょう。

公正な共生の条件とは、歴史的に追放されたパレスチナの難民が祖国に帰る権利を保障し、アラブの全占領地からイスラエルが無条件撤退することです。そのことを始まりとして、共生が生まれるでしょう。

その上で、真に共生の実態をつくり出していくには、何世代にもわたる教訓と経験の蓄積が必要だろうと、私は思っています。

自分の民族の歴史的実態をよく理解し、多様な世界を認め、他者に寛大になる条件をつくり出すためには、説教や交渉以前に、真に公正な歴史的現在の基準を世界が認めることが必要です。

争いの原因をつくり出した側が、はっきりと犯罪性を認めて、真摯《しんし》に、保障の態度を示すこと。〝植民地宗主国〟だったイギリス、侵略者イスラエルが示すべき態度は、また、日本が問われている歴史を清算する姿勢と、共通のものでしょう。

りんごの木の下であなたを産もうと決めた

一九七二年夏、ベイルート。この地方は四月頃から十一月頃まで、雨を知りません。春から長い長い夏、そして短い秋まで、真っ青な、雲一つない高い空が太陽に光りながら、果てしなく広がっています。地中海の海より青い空。こんなに美しい青い色のスカートを探してみたいと、昔、よく思ったものです。

七月の最初の日、真夏の地中海を遠く見下ろす果樹園で、私や仲間たちは、りんごの枝をくぐり、適当な平らな場所を探していました。

「ここにしよう！」

いちばん年寄りのアブ・ドゥーマが決断を下すように言うと、若者たちがビニールシートを敷き、花茣蓙《はなござ》を敷き、水があふれそうになっている、カメと言ってもいい大きな土瓶を、どっかりと地面におきました。

高台にあたるその近辺は、多くが背の低い葡萄《ぶどう》棚の続く果樹園なのですが、その間にりんご園も点在していました。

りんごの花は満開の甘い香りの時期を終えて、少しふくらんだ萼《がく》の先に、小さなめしべが隆起し、果実の原形がぽつぽつ見える頃になっていました。まだ花が残っている木もあり、全体としては、華やかで甘い香りがしっとりと漂っています。園内に点在するあんずの木はすでに花を散らしてしまっていますが、りんごの方はまだ華やかな気分を残していました。

この辺は避暑地でもあり、風が、汗ばんだ額をひんやりとなでていきます。

イスラエルの偵察飛行が続くなかで、地中海を見下ろすこんなに清々しい場所に、皆に集まってもらったのは、私の希望でした。

五月三十日のリッダ空港襲撃作戦が、世界各地のニュースで伝えられてから一カ月経ち、私のまわりは一挙に変わってしまいました。

まず第一に、リッダ空港襲撃作戦の直後、イスラエルのモサドが報復攻撃を仕掛けてくるからと、パレスチナ・コマンドは防衛態勢に入ってしまいました。当時レバノンは「地中海の真珠」と言われていましたから、レバノンは金融と観光で国が成り立っていましたから、地中海を見下ろす丘の上には豪華な別荘がたくさん並んでいました。そこに別荘をいくつかもっている友人もいて、彼の好意で、私は一時的にそれらに隠れ住むことになったのです。

それまでは、日本人と一緒に生活し、釣りや、野球大会、紅白歌合戦、カジノに至るまで行動を共にしていました。

私は少ない日本人同士が助け合う日本人会の一角にもいましたし、各国からやって来る国際ボランティアを集めて連帯運動を組織するスタッフと共同するかたわら、「アル・ハダフ」(パレスチナ解放人民戦線〈PFLP〉のアラビア語機関誌)編集局にも毎日通っていたのです。

リッダ空港襲撃作戦への報復が始まり、即、レバノン南部が攻撃されました。同時に解放組織の幹部宅への銃撃や暗殺攻撃も行われたためベイルートの緊張が高まり、私も自分の意志で行動することがむずかしくなってしまいました。

第二に、リッダ空港襲撃作戦の成功を祝して、アラブ諸国からの招待・安全な居住地の提供と保護、財政的支援の申し出などがありました。安全対策の合間をぬって、「日本赤軍」と名乗ったリッダ戦士のことを語り、連帯のあいさつを行う仕事が増えました。

これはパレスチナの人々の地位向上と財政支援の助けになるので、協力していくことにしました。

第三に、これはきわめて個人的なことですが、体調が変化し、生理もなく、吐き気が強く、妊娠した可能性がありました。

「あなたのお父さん」という愛する人がいなかったわけではないけれど、リッダ空港襲撃作戦を経て起こった変化は、私に、リッダ戦士の遺志を社会へと伝える役割を負わせたのです。

一緒に星を見ながら語り合ったリッダの戦士たちの心意気を、誰が社会に伝えうるでしょう。私がそれを引き受けなければ——そんな気概もありました。

どんなところでも楽しみを見つけて楽しむ。そんな生き方をする私に、どこまでできるかわからなかったけれど、リッダの戦士たちの遺志をひきつぎたいと私は思ったのです。

無名の戦士の一人であったあなたのお父さん。彼と愛を分かち合うこともむずかしくなるけれど、私は、リッダの戦士たちの仕事を人々に伝える役割を選びました。

そうした想いから、りんごの木の下に集まってもらった人々のなかには、自由に活動していた時期に、毎日「アル・ハダフ」の編集局で協力していた外国人スタッフもいました。

ガッサン・カナファーニ編集長も、日本の人も、PFLPの戦士たちもいました。そこに集まったほとんどの友人は、リッダ空港襲撃作戦の戦士、奥平や安田や岡本の友達でもありました。

「皆さん、ごくろうさん！」

「神のご加護をあなたに！」

抱き合い、抱擁するのがこちらの友人同士のあいさつです。入りまじって、抱き合い、三回、左右の頬にキスをします。長い時間をかけてみんなの消息を確かめ合ったあと、私から話を始めました。

「どうもありがとう。いつも一緒にいたのに、イスラエルの報復を避けるため、隠れざるをえなかったので、会いたい人にも会えなくなってしまったの。みんなに会いたかったので、アブ・ドゥーマおじさんに無理してもらって、今日のこの場を設定しました。今後、どうしたらよいのか？　ということが第一にあります。そしてまた、とても個人的なことだけど、五・三〇リッダ空港襲撃作戦を経て、新しい命の兆候を知ったの。この新しい命が奥平たちの命をひきつぐ気がして、『この赤ちゃんを産もうかな』と、思っているの」

私一人で生きていけるわけはありません。これまでの苦労も、仲間と一緒だから乗り越えることができました。いちばんしんどかったのは、連合赤軍の事件を知った時だったけれど。連合赤軍事件で親友を失っていなければ日本に帰ったかもしれません。苦労を共にしてきた奥平たちはいなくなったけれど、共に語り合った人々の多くはまだ残っていました。

リッダ空港襲撃作戦を経て、奥平たちの闘いの遺産を引き受ける人間の一人として、こちらに腰を落ち着けて生きていこうと思いました。そんな時に、偶然に授かった子供を育てながら、生きてみようと思い、仲間たちにそう告げたのです。

「ほーっ！」という皆の驚きのため息が上がり、そして拍手とおめでとうの接吻が私をつつみました。

りんごの木の下で、皆の表情を確かめながら、私はあなたを産もうと決断しました。

アラブの新しい世界への旅が始まりました。これまでは大変だったといっても、奥平たちの存在と闘いの目標がありました。そして、彼らの闘いが、日本赤軍の名をアラブじゅうへと知らしめました。私は、各国のボランティアと英語雑誌の編集・製作などを担っていましたが、それらが評価されて、日本赤軍が賞賛されているわけではありません。

パレスチナ解放闘争に自己犠牲的に参加した日本人戦士のことは、毎日テレビのニュースや新聞で語られています。そしてパレスチナ解放闘争に連帯して、継続的に、リッダ空港襲撃作戦の戦士のように決然と闘う部隊が求められていました。

闘いをひきつぐためには、細い日本とのルートに頼るしかありませんでした。しかし、日本で同じ党派に属していた人々や、党派は違っても共同していた人々とは連合赤軍事件以降、ルートがなくなったに等しい状態でした。

けれども、心ある個々人が訪ねてくる道は残されていました。国際連帯に共感する人々と、一人一人出会い、アジア人と出会い、世界の人々と出会い、日本の活動に返していけばよい。奥平のあとを引き受けるのは、私には荷が重すぎるけど、やれるところからやっていこう。

まずは、子供を育てながら、国際ボランティアとしてパレスチナ解放運動に参加してくる人々とともに生きていこう。そうしたなかで、また日本の人々とともに活動できる条件も生まれるだろう。

この子が生まれる頃には、一緒に日本に行って、パレスチナ革命について宣伝できるかもしれない。仲間がたくさん増えているかもしれない。大阪から東京へ、東京からまたどこかの町に行くように、アラブから、また、いつか気軽に東京へ行ってみよう。そんなことを思い描いていました。

日本は、連合赤軍事件以降混乱しています。「共同武装闘争」を目指すという日本で描いていた夢を追いかけて、パレスチナ解放闘争に参加しに来たのに、逆にその夢に追いかけられるような焦りに似た気持ちが一方にあります。そしてもう一方に、ゆったり、じっくり、考えたいと思っている自分がいます。そんな時にあなたの存在を知って、自分を見直してみようと考えたのです。

偵察飛行中のファントムがガラス玉のように光りながら、ゆっくりと上空をよぎるのが、りんごの木々の間から見えました。私は、仲間と近況を語り合い、ピクニックのように和んだひとときを過ごしていました。

どこかで会議を終えて、途中からPFLPのハバッシュ議長とアブ・ハニ国際部長もこのりんごの木の下に合流しました。そしてイスラエルの報復を警戒するようにと、一人一人に居住条件を確かめてまわりました。ハバッシュ議長はPFLPの創設者として、アブ・ハニはPFLPの国際ゲリラ戦の責任者で、革命飛行場やリッダ空港襲撃作戦を計画した人として、二人とも、アラブで絶大な尊敬を受けていました。

モサドは、特に、アブ・ハニ暗殺をこれまで何度も計画し、隠れ家を破壊したり、子息に重傷を負わせたりしたのですが、本人は、まだピンピンしていました。ガッサン・カナファーニ編集長は、今住んでいる家を出てほかへ移るようにと、アブ・ハニから幾度か説得されているのに、まだ引っ越していないと批判されました。

私は、ガッサン・カナファーニの家のベランダに広がる美しく見事なバラの枝々を思い出しました。

北欧のジャーナリストだった妻アニーや子供たちと、バラの手入れをしている時のガッサンは、子供みたいにいつもはしゃいでいました。愛着のある家なのだろうなあと同情しながら、彼らのやりとりを聞いていました。

その数日後、ガッサンは、本当に報復暗殺されてしまったのです。

彼の行動サイクルが規則正しいことが、命取りでした。自宅のガレージに停めてあった車に仕掛けられた爆薬が、エンジンをかけたとたんに爆発したのです。学校に行くために乗り合わせた姪《めい》っ子が、彼と一緒に殺されてしまいました。当日、体が寸断されたガッサンの写真を新聞で見ました。悲しみよりも、もっと深い呆然とした無感動のなかで、数日前の彼の姿がよみがえりました。

日本にいた時には、自分が、明日、狙われて死ぬかもしれないと思って過ごしたことはありませんでした。もちろん、明日、朝起きたら警察に逮捕されるかもしれないと思うことはありましたが、そういうこととはまったく次元が違うのです。

豊かな知性と思いやりに満ちた表情の持ち主だったガッサンは、ただの死体、〝物〟に還元されて、そこにいました。

そして、彼の夢とか、彼の記憶は人々のなかに宿ったまま、想いは断ち切られてしまうのです。死の不思議さを実感しながら、怖いという想いはありませんでした。

「覚悟や決意は、おとといしてこい！」と啖呵《たんか》を切った思い出があるせいでしょうか。

日々攻撃にさらされるなかで、ＰＦＬＰの政治活動部門はさらに緊張していきました。レバノン南部への報復攻撃は続いていました。そして今度は、ガッサンに代わって編集長になりたてのバッサン・アブ・シャリーフに、八月、小包爆弾が届けられました。小包を開けたとたんに炸裂《さくれつ》し、バッサンは顔面、両手、上半身を負傷したのです。

レバノン南部への報復攻撃に加えて、個人テロが、イスラエルのモサドによって執拗に続けられました。リッダ空港襲撃作戦責任者のアブ・ハニも何度も危険にさらされていました。

ＰＦＬＰは解放組織ですが、合法的分野は誰にでも開かれていました。それゆえ防衛態勢にも限界があったのです。私を守るためにどうすべきか？　ＰＦＬＰではさまざまな計画が練られました。私はこれまで交流していた仲間と会えなくなるようなことは望みませんでした。これまで一時的な隠遁《いんとん》生活ということで、一、二カ月だけ隠れていたことはありますが、皆に会えなくなるような引っ越しは拒否していました。

「リッダ空港襲撃作戦戦士たちと約束した。あなたを政治的、肉体的に保護すると。敵に殺させないし、逮捕されるような仕事もさせないと。我々には守る義務がある。彼らの遺言だから、避難のためにほかのところへ行ってほしい」

そのように繰り返し説得され、ガッサン・カナファーニ編集長に続いて、バッサンもやられてはもう、私も皆と会えなくなることがわかっていても、彼らの要請を受け入れないわけにはいかなくなりました。

奥平や、リッダ戦士たちの遺品をすべてバールベックの友人に預けて、離れた場所へと移動することにしました。生まれてくるあなたとともに。

あなたとともに、この苦境を乗り越えながら、仲間たちと再会できる時を待とうと、一時的な地下活動を受け入れたのです。

行きたいところに自分で行き、したい時に勝手にする、当たり前の自由な生活ができなくなるなんて、あまり深くは考えていませんでしたが。そして、自由を失うことの苦痛も。

そんな時に決断したのです、あなたを産もうと。

明るく生きて、闘っていくのに、私があなたを必要としていたのかもしれません。

嵐のなかの恋愛

嫌な女だと思われていい

愛情を語ることは不思議なもので、語るその時代とその年齢のままに、愛の姿を曝《さら》け出してしまいます。

二十代の時、愛情について、恋人について聞かれたら、もっと違った答えをしたかもしれないと思いながら、私の愛を、今の地点から見てみたいと思います。

さまざまに人を愛し、愛され、あなたが生まれ、愛し方が変わりながら、今、自分がいるような気がします。

愛というのは、未熟さと同義語のように思えてしまうのです。

私自身が、たくさんの人を愛するなかで、その愛を通して、いつも自分の未熟さを発見するゆえでしょうか。

初恋は忘れられないものだと人は言うけれど、私には、そんなドラマチックな思い出はないのです。

初恋について聞かれると、いつも、「あれが、そうかなあ?」「これが、そうなのか?」と思い悩んでしまう程度に、異性に関する思い出を振り返ります。

小学校時代は、強いていえば、相手は先生、教生の先生でした。

背が高くて、スポーツに熱心で、私の大好きな理科や国語も得意で、真面目な先生でした。真っ白いトレパン姿の教生の先生。先生の雄《ゆう》という名前が気に入ったのかもしれません。

クラスメートの仲良し三人組(女の子)で、雄先生の自宅を訪ねるほどでした。前触れもなく、突然、先生のお宅を訪ねたのです。

先生のお父さんが、自分の息子の生徒が初めて来訪したのに感激して、雄先生にあれこれ指図するのを見て、子供心に幻滅を感じたのを覚えています。

「先生も、やっぱり子供なんだ!」

憧れ三人組の私たちは、そんなふうに納得しながら、家路についたのを思い出します。

小学校高学年の頃です。

私には兄弟がいるせいもあって、男の人に神秘的な幻想を抱くこともありませんでした。逆に、「房子、もう中学に入るんだから、スリップ一枚で、部屋でウロウロしないのよ。お兄ちゃんたちもいるでしょ」と言われても、ぴんとこないような育ち方をしていました。路地いっぱいに、蠟石《ろうせき》で何やら描きまくったり、石蹴り、ゴム飛びと、一日中、暗くなるまで遊びまわっていた小学校時代。

異性と言われてもぴんときませんでした。そしてそのぶん、大人になって、小学校時代に初恋があったはずだと無理して思い描いてみると、雄先生になるのでした。

私は小学校一年の時の小宮先生（女の先生）に始まり、すべてよい先生に恵まれて育ちました。先生は、子供たちに作文を書かせ、絵を描かせ、自己を表現する力を大切に育ててくれました。だから、先生全般が好きですし、雄先生をステキだと思ったのもその一部の想いにすぎなかったのかもしれません。

中学時代も、「いいなあ」と思う人がいても、相手が自分に対して同様の気持ちをもっているのがわかったりすると、なんとなく嫌になってしまったり、ということで愛を実感するほどではありませんでした。

ちょっと目立って、ちょっと勉強ができる子だったので、比較的、男の子たちとも仲良く、グループ交際したりして、楽しく過ごしました。

恋愛よりも、化学部の活動や、園芸の方が魅力的で、それらに熱中して過ごしたのです。

私が好きだった中学時代のＫ君は、私にできないことのできる少年でした。

私は社会科、特に歴史の年表に始まる日本史や世界史の暗記が大の苦手でした。Ｋ君は、ほぼ完璧に、歴史を覚えていて、感嘆したものです。

中学に入った時、先生の指名でクラス委員とか、会計とか決めたのですが、その時、彼と私は何か同じ委員を任され、隣に座ったのがきっかけでした。

高校時代はミーハー的なファッション感覚で、愛を考えていたのかもしれません。

進学する夢もなく、就職するまでの間、楽しく過ごすために、不良をしていました。渋谷で、大学生にひっかけられるように振る舞うのです。高校の制服を下駄箱につっこんで、私服で行動します。大学生と次のアポイントを決めておいて、すっぽかす、そんなゲーム感覚の遊びでした。

「夢のような愛が欲しい」「恋愛してみたい」と高校時代の仲間が言っていたけれど、私は、あまり〝恋愛〟に夢中にはなれませんでした。夢中になれる人がいなかったとも言えますが、社会活動がしたいとか、小さな親切運動をしてみたりとか、文学少女風なことに熱中していましたから。

結婚しようと思った人がいました。一九六五年、学生運動にはまっていく前でした。彼は、地方政治家の息子でした。彼の父親は、息子に、地方政治よりも、中央政治を目指してほしいと考えているようでした。

私は、彼とはサークル活動を通して知り合ったのですが、彼が言うには、「父が、君のことを『政治家の妻にふさわしい。早く結婚しろ』と言っている」とのことでした。

結婚するまでは処女は〝当然〟であり、手を握り合うことすら罪悪感と羞恥心に心臓が破裂しそうになる。そういう庶民の家庭がもっていたモラルとマナーのなかで、私は育ちました。なので結婚しようと思ったといっても、その人と肉体関係をもつとかいう考えはありませんでしたし、彼も私も、愛の代わりに日本を語るというところがあったと思います。

彼が誘ったから一緒に歩きだし、尊敬し合う愛情、そこに彼の父親からのプロポーズのバックアップがあって、そして、結婚することにしようと、お互いに、そんな気でいました。

一方、当時の私は、日韓基本条約に反対するデモとか、ベトナム戦争反対のべ平連デモとかに参加し始めてもいました。

彼は、自民党の改革を通して日本の政治を変えるという立場でした。

日々が経つにつれ、会うたびに論争になって、〝考え方の溝〟が広がってしまいました。

「日本では革命は起きない。君は、いつか、必ず僕のもとに戻ってくるから、僕は焦らないよ」

そんなことを言う利口そうで、大きそうな、彼に対して腹立ちをおぼえました。

彼は、スタンダールの『赤と黒』のジュリアン・ソレル（結局、野心のために生きられなかった男）をこそ愛するという価値観の持ち主でした。政治家になるには、少し、繊細なところがあったのです。

会うたびに革命を語る私は、〝闘いこそ是〟という側からしか情愛をもちえず、考え方の違いは超えられない壁となって、愛情そのものも薄くなっていくような気がしました。

そうしたなかで、ある日、活動している仲間たちが、喫茶店に集まっているところに、私も合流しました。すでに、コーヒーを飲んだり、食事をしてしまっているのに、皆、支払う金がないとのことでした。私自身も持ち合わせがありませんでした。途方に暮れて、皆であちこち電話をしましたが、あいにく、不在ばかりです。住所録を繰っていた時、彼の電話番号が眼に留まったのです。しばらく会っていない彼。一年以上になるでしょうか。

「君の闘い方は間違っている。君は間違いに気づいて、必ず、僕のもとに戻ってくるはずだから、いつまでも待つ」

と、最後に会った時に言った彼。本当は、いい思い出を残したまま私が去っていくのがよいのだけれど、私が『嫌な女だった』と思われたほうが、きっと、これ以上共には進めない彼にとってはいいだろう。そんな想いで、彼にダイヤルしました。

いなかったらいないでよかったし、いればそれで別れを演出しよう。そんな感じでした。

「喫茶店で、お金がないのに、食べてしまったの。お金、貸して。この喫茶店にもってきてね」

彼は、金額を尋ねてから、「すぐに行く」と言って、小一時間で現れました。待っていた私は、数人の仲間たち——それとわかる活動家の格好をした男たち——と、ソファーに座っていました。彼が「無責任な大言壮語の人々」と呼んで毛嫌いする左翼的な人々とたむろしていることに、彼は一瞬、びっくりして、立ち止まりました。そして、金を渡しながら、語気に怒りを込めて言いました。

「この金は、君たちのような党派にカンパするものではない。君の責任で返してほしい」

彼がそう言うであろうことはわかっていました。そして、金を返しにも、謝りにも来ない私に、たぶん、彼は怒りに満ちて、別れのけじめをつけたと思います。彼のためにはその方がよかったのだと、当時、自分に言い聞かせました。

父にも、「結婚しようと思った人、やめた」と言いました。父は、賛成でした。学生だった彼が印刷された年賀状に一行書き加えてよこしたことが、父には気に入らなかったそうです。「代議士でもあるまいに」と、父は思っていたとのことでした。

嫌いになるまで好きになる

婚約者と別れることと同時進行で、モラル的な大転換が私のなかで起こりました。母からしつけられた行儀とか、恋愛モラルとか、そうしたものが学生運動の価値観を問うなかで、旧くて取るに足らないものに思えたのです。

大学の学費値上げ反対ストライキが始まると、家に帰れない日が増えてきました。会社勤めの頃なら、初めて最終電車に乗れなかった日など、お給料の三十パーセント近くを支払ってでも、タクシーで自宅に帰ったものでした。

仲間たちの自由な振る舞い、自由な学校での学生管理のカリキュラム、すべてが新鮮で、自分たちの望むように生きていくエネルギーを獲得したような希望にあふれていたのです。

それは、恋愛についても同じです。ただ愛したいように愛し、愛される、その感情の赴くままの出会い、それでいいじゃないか、そんな開き直りの享楽主義があったと、今は思います。

愛情を注ぎ、愛を求める人がいたら受けていく。そういうふうな愛、好きなように生きることが、これまでのモラルを超えて自分の価値基準をしっかりつくることになるのだと、そんなやり方を求めていました。

でも闘いは続いています。同志が出会い、愛も多く生まれました。真剣に生きている人の集まりです。

当時、大学や党派の闘いのなかの男たちは、女性に対して、比較的、自分の所有物のような感覚で同棲したり、結婚したり、生活していたように思います。「神田川」の歌の世界のように、同棲している人も多く見かけました。

私は、「私は女よ。女でいいじゃないの」と開き直って闘っていました。

女性活動家のなかには、男性と同等の役割を果たそうとする人もいましたし、私のように開き直っている人もいました。

対等なパートナーとしての愛情を社会的活動の力にできないフラストレーションを感じていました。

「抱かれる女から、抱く女へ」という、フェミニズムの運動も生まれてきました。

私は、「嫌いになるまで、好きになる」と言いながら、人を愛しました。

人には別れがあるけど、自分は、必ず、別れを許容して愛を貫こうと思いました。

好きになる時にはいつでも嫌いになる準備をしたら、別れは悲しくないのではないか？

友人が失恋した悲しさを語るなかで、私自身は、そんなふうに生きようと、享楽的な愛を楽しんでいたと思います。

それから、武装闘争とか、軍事とか、党派とかの活動に入り込むに従って、活動している最前線の人を助けようという姿勢が愛になっていったことが多くありました。

「君は、赤軍に恋をしているよ！」と、人々に言われるように、闘っている人、ひたむきに運動に尽くしている人に、自分のすべてをささげてサポートしました。

そして、その人が振り返って、私を〝女〟として見た時、『ああ、同志ではなく女なのか。女でいいじゃないか』と思ってくれれば……。そんなふうに、愛を刹那《せつな》的に重ねた気がします。

バーシム奥平への愛

バーシム奥平との出会いは、短く、運命的だったと思います。

一九七〇年、秋のことです。京都の北白川あたりの初秋。コスモスの花の咲き乱れる美しい秋でした。

当時、私は、京都の仲間とのカンパ活動で、何人かのブントの人々、京大パルチザンという学生運動のなかで闘っていた人々に出会いました。武装闘争をめぐって分裂したブントの先輩たちは、財政的、社会的に、さまざまに協力してくれました。

その頃の仲間や後輩たちは、バーシムの突然の戦死に怒り、驚き、惜しみ、たぶん私をも恨んだと思います。それが〝大義〟のためであったとしても。だから、当時のバーシムと共通の友人たちとの文通も途絶えてしまったまま、今に至っています。

彼らとの交流のなかで、私は後輩に連れられて、奥平の家を訪れました。

北白川の疎水のわきの民家の離れの部屋で、背中を向けて、何か洗い物をしていた姿が、今も眼に浮かびます。後輩のK君がカンパを要請すると、手を休めず、「ない」と言って、作業を続けていました。

部屋のあちこちに、物が雑然と積み上げてあり、思わず「山小屋みたいな家ね」と、私は言ったものです。ほかに言いようがなかったのでしょう。

口数は少ない人でしたが、第一印象として、たいへん意志が強く、派手な人ではなく、たぶん、こつこつと物事に立ち向かっていく力があり、目標を実現する人だろうと思いました。

どんな時にも信頼できる人だと直感しました。

私は、アラブ・パレスチナ側とコンタクトを取っていた友人から、医者を含め、技術協力、人民医療などの分野で支援してほしい、そのための人材を派遣してほしいという要請を受けていました。

奥平は、工学部で、電気などの分野で能力をもっていました。すでに出発が決まっていた男性医師とともに彼もパレスチナの地に常駐して、人々に役立つ仕事をするという計画を立てました。

そして、いつかパレスチナを国際根拠地として武装闘争も実現していきたいと考えていました。ところが、全体のキャップ格の医者が、「行くなら赤軍派に入らなければいけない」という条件や、さまざまな理由で行けなくなって、結局、奥平が先行することになりました。数日遅れて、私も日本を発ちました。

アメリカへの派遣案など計画がほかにもありましたが、結局、アラブへの派遣が実現して、いちばん新米だった奥平がイニシアチブをとって関わることになったのです。

「よい生き場所、死に場所が見つかったよ」

ベイルートの地中海に臨む岩場で、サンセットを見ながら、静かに、気負いのない言い方で、彼は旅立ってきたことを喜んでいました。

当時、彼は京大パルチザンの友人たちと黒ヘルと呼ばれていたノンセクト・ラジカルに人脈をつくり、闘いを目指していました。京大闘争の終焉《しゅうえん》もあって、奥平が旅立つことに対して、そうした仲間たちがバックアップし、闘いを継続する態勢をつくりました。彼らは、武装闘争によって新しい地平を拓こうとする考えを支持していました。

奥平のこうした人格、イニシアチブがなければ、アラブでの闘いは、当時、欧州各国から支援に来ていた人々が行っていたパレスチナ人民との連帯というような活動から、共同武装闘争へと発展させることはできなかったでしょう。


静かに出発準備を始めた数カ月の間に、私は彼が、これまで会ってきた闘う人々、ブントとか、赤軍派とかのなかで出会ってきた人々と、違う点を発見したのです。『これでいいのか?』と闘いに悩み、愚痴を言うのが普通だったなかで、「自分の努力で引き受ける」という強固な意志と、決して愚痴を言わない姿勢を彼はもっていました。

当時の赤軍派の人は疲れていました。私も含めて、思想的に。しかし、彼は理想と夢に燃え、輝きをもっていました。私はそうした彼の姿勢に新しい闘いの芽を見、そうであるがゆえに愛を感じていきました。

愛情を正面から語り合うことは苦手で、嫌いな私たちは、短い夫婦の絆で愛し合い、そして、同志的愛を強く感じながら、アラブでの活動を分担しました。お互いに励まし合いながら。同志的絆、同志的愛の方が強かったから、同志の戦死を許容したのでしょうか。

私は、愛情はなかなか我慢できるものではないと思っていました。だから、正直に生き、感性や欲望が消滅しないように、我慢はしない生き方をしてきました。刹那的に愛し合ってきたこともあります。刹那的に、「嫌いになるまで好きになる！」そう言い放って、愛を貫いてきた私でした。

闘いのなかで、お互いを分かち合う愛を、自分と他人との間に「自分を他人のように、他人を自分のように」という共通の運命の血が流れる愛を、バーシムを通して、実感できるようになりました。

バーシムの闘いとその戦死を知った時、愛を通して連なっていることをひしひしと感じ、それが後悔にも似た狂おしい想いとなって、失った愛を追いかけているような気持ちでした。

そして、バーシムだけでなく、兄弟として戦死した安田、捕虜となった岡本へも、自分の命と共感する密接なものを感じ、その関係性を愛として実感しました。

メイちゃん、あなたのお父さんはパレスチナの戦士でした。あなたのお父さんもまた、バーシムへ、想いを重ねるように愛を感じてしまったのかもしれません。

私はバーシムの戦死のあと、あなたの命が宿ったことを知りました。愛すべき同志たちの贈り物、そんなふうにあなたの誕生を意味づけたのは、迷惑でしょうか？


血族を超えて、共通の体験をもつ者が分かち合い、助け合い、命を賭けて守り合う時、そこに家族が生まれるように思います。

私たちは、嵐のなかでそのように生きてきましたから。それゆえ仲間は家族なのです。だから、愛は、人生を共にしようというパートナーシップ。それが、伴侶であれ、友達であれ、家族であれ、いちばんすばらしい愛だと思います。パートナーシップ。対等な愛。あなたもそのように愛を広げるでしょう。つながり合う心が愛。だから、共生の根拠もやっぱり愛だ！　と思います。

世界から日本へ、日本から世界へ

二〇〇一年、あなたは生まれ変わる

いつかあなたに会った折、あなたが何気なく言った言葉が胸に突き刺さっています。

「私って生命線がないのよ」

あなたに言われるまで、あなたの手を取って手のひらの線を読んだことがありませんでした。あなたの手に「生命線がない」ことすら知らなかったことを申し訳なく思いました。

年頃って誰でもそうだけれど、あなたもアラブの古典的な占いやコーヒー占いに気持ちを託してみたくなったのでしょうか。

あなたはたまたま手相を観てもらった占い師に、「二〇〇一年あなたはゼロから生まれ変わる」と言われたそうです。

「そうなの？　見せて」と、私がのぞき込んだあなたの手のひらには誰にでもくっきりあるはずの生命線が本当になかったのです。あなたが言ったとおり、二〇〇一年から生まれ変わることが約束されていたのでしょうか。

満開の桜の花が散り終える頃には、私は司法に身を委ねてもよい準備を完了していたはずでした。その一つに、二〇〇一年にあなたの日本国籍を申請することも含まれていました。

私が何もやりきれないうちに逮捕されてしまい、仲間たちだけではなくあなたにまで、未整理のまま、たくさんのことを残してしまいました。

あなたが今、どのような社会生活をしながら、何を考え、これからどう生きていこうとしているかは、むしろあなた自身が語るべきだと思っています。

だからここでは、あなたの小さかった頃のことを中心にして書きました。

私の立場や言動であなたを縛りたくはありません。

あなたの拓かれたこれからの人生を損なわないように配慮したいのです。あなたはあなたであって私ではないのですから。

私の娘であることが、あなたにたくさんの困難をもたらすかもしれません。

でも、あなたの個性で、日本の社会になじんでいってほしいと思います。

ただ、あなたがこれから日本で生きていくうえで知っておいたほうがよい、と私が感じたことをいくつか伝えておきたいと思います。
三十年前ではなく今の日本の社会についてです。

民族としての自我

私は二十数年経って、日本にこっそりと戻りました。

初めに奇異に感じたのは、昔と違って、遊んでいる子供の姿をまったく見かけないことでした。

三十年前には、公園や路地や通りで遊ぶ子供たち、校門から勢いよく出てきて学校の前にたむろする子供たち、校庭でワイワイと遊ぶたくさんの子供たちがいました。

子供は公園や路地や空き地を占拠して、思い思いに遊ぶ——三十年前まで慣れ親しんでいた日本の子供たちの姿です。

アラブでもそういう光景を当たり前のものとして過ごしてきました。道は子供たちの天下、と言わんばかりにいっぱいに広がって遊ぶ彼らに、私は謝りながら車で路地を通り抜けたものです。

そういう私の眼から見ると、何かヘンです。遊ばない子供、多忙で遊ぶ暇のない子が増えているので、子供が公園で遊んでいないのだと日本の人々が語ってくれました。

でも子供のいちばん大切な仕事は遊ぶことですから、どこかおかしい。そんなふうに日本はアラブとちょっと違います。

アラブの子と日本の子をくらべてみるといちばん違うところは自我だろうと思います。君は何者？　私は何者？　といった自分を取り巻く環境への自覚、主体性と言ってもいいのですが、日本の子供にはそれが希薄です。アラブでは、民族的自覚とか民族意識がそれを支えていると私は思います。

アラブでは自分たちの愛する人々や家族を危険にさらす〝敵〟が眼の前にいます。〝敵〟が眼の前で友人や家族や同胞を殺し傷つけているという現実を直視しながら子供たちは育ちます。

アラブ対イスラエルの争いに加わりたくないとか、率先して加わろうとするとか、それぞれ若者によって選択と反応は異なりますが、歴史的に背負っている現実が同時代の人々の民族的意識を形成しています。

不幸な歴史を背負わされているとも言えます。しかし、大人たちや年寄りたちに、それぞれ同時代人としての、悲しく苦労多い共通体験があるように、少年には少年なりに、子供には子供なりに、空爆やインティファーダ（民族蜂起）の共通体験があります。

それは、平和を求めながら、あるいは平和を求めるがゆえに殺戮《さつりく》を求める心情となってあふれてきます。

私たちよそ者――どんなに優遇され、どんなに保護されても、民族は違います。違うがゆえに認め合うこともできるのですが――を、躊躇《ちゅうちょ》させてしまう断固とした「人を殺す意志」をアラブの人々はもっています。

私は今、「人を殺す」という表現をとっていますが、殺される人間に、そういう抽象的〝人間〟はいないのです。

殉教者を目指す若者たちにとっては、民族の生存を賭けた闘いにさらされている自分たちを助けてくれる人なのか、民族の破壊に加担する人なのか、が重要な選別の基準なのです。後者は〝人〟ではなく、具体的な〝標的〟なのです。

命を長らえようなどとは思ってもみなかった二十代、三十代を経て、あなたやパレスチナの子供たち、アラブの子供たちとともに、肌で、涙で、魂で学びながら、私は年を重ねてきました。

殺すな！　決して殺してはいけない！　殺さない！　殺させない！

そのために、闘わざるをえない正義があることを、公正を求めるがゆえに、私は認めます。

今、公正を求める闘いにおいて、いつか共に平和に暮らすという確かな目的がある限り、一時的に激情が肥大することはあっても、平和に向かって立ち戻ることは可能でしょう。目的をしっかりもつ限り、殺し合いや軍事対決を平和的方法に置き換える時が訪れることを、私は確信しています。

日本など非当事者が、外野の観客としてではなく、当事者の痛みを理解して、公正を求めて関与していくことによって初めて、その目的に近づきうるのです。

何千人のうちの一人が殉教者であれば、その世代の人々にとって、怒りも、また悲しみも共通体験となって、民族の根っこに蓄積されていきます。このようにして、一人一人の自我を、共通項が結んでいきます。

日本の子供たちにとって、アラブの若者と照応する共通項、共通の思想的インパクトは何なのでしょうか？

家族を絆とする共同・共感の土台やインパクトは、もしかしたら日本では日々のテレビとかビジュアルなコマーシャルにしかないのではないか？　と、ふっと思います。

ノンフィクションも、ドラマも、お笑いも、事実の一部として未整理に吐き出すテレビ。番組は一つ一つ独立していても、見ている側にとっては、ただ与えられるだけの整理も何もされない、アナーキーなものにすぎないでしょう。

日本の子供たちは、テレビ文化を共通体験として、民族を形成する状態におかれているのではないでしょうか。そのぶん不幸なのかもしれないと思います。与えられすぎて、生き方、生きざまを自分で問うことに関して、立ち後れてしまいますから。

もう一つ、あなたが日本に来たらきっと驚くに違いないのは、日本では「注意事項」「アドバイス」「〜すべからず」の類《たぐい》の警告が多いことです。

公園に行っても「入るべからず」「枝を折るべからず」「足下注意」など、挙げたらきりがありません。生き方、生きざまを自分で問う以前に、大量の注意事項が押し寄せて、あなたを取り巻くでしょう。

考える前に「こうしてはダメ！」「あれはダメ！」と言われ、きっと強いられた気持ちになっている子供たちは、疲れてしまうでしょう。

最初は、考えようとしても、考える暇がなく、考える暇がないぶん、とりあえず「イエス」を連発し、そうして、『もう、たくさんだ!』とはじけてしまう、そんなことが日本の子供たちに起こっているように思います。

〝キレる〟子というのもそうなのだろうと、思います。

まず、若者や子供たちに自我の土台として、日本人とは何なのか? どういう歴史をもってきたのか? アジア人にどう思われているのか? など世界から照り返される日本人の姿を知ってほしいと思います。

「自分はこういう人間だ」と考えている姿と、他人が「あの人はこういう人だ」と認めている姿には、落差があります。大体において、他人の複眼で見られた自分のほうが本当の姿です。

それと同じように、日本人は、こういう民族だと自らつくりあげるより、アジア人にどう思われているかなど、他者によって知る自分たち日本人の姿を直視すべきでしょう。

それは、グローバル化の時代に、ますますアジアと共生しながら、〝世界のなかの日本〟を志向して生きていく日本人にとって大切な土台です。

日本人としてのアイデンティティなしに、〝地球市民〟を目指すのは、ただ欧米文化のコピーをするようなものでしょう。

また、侵略戦争と国民総動員の過去を美化した日本は、美しい国ではありません。

あなたには、私たちがきちんと教えてこなかった日本の歴史を、アラブ民族と生活するなかでわがものとした〝民族の意思〟を相対化する視点で、学び直してほしいと思います。

平和を願う、美しい国・日本

あなたと語り合うチャンスを失したまま、私は逮捕されてしまいました。

今、机もない獄中の床に紙をおき、ペンを走らせながら、日本から世界へと発すべき願いを書いています。

日本が世界に求められていることはたくさんあります。

特に戦後、米ソの冷戦が始まる前、国連がまだ理想主義に燃えていた頃につくられた、国連憲章の平和と多民族共存の願いは、普遍化されて、今の日本国憲法の前文に生きています。

日本が戦争に敗れ、占領軍による日本解体のプランの一環として、新憲法が生まれ、新日本が形づくられてきたことは事実です。

アメリカに押しつけられた憲法だと言う人がいます。押しつけられたものでもいいじゃないですか。「戦争はもういやだ！」と、愛する親兄弟を失った戦争の痛みを、平和を希求する気持ちに置き換えたいと願ったのは、庶民である当時の日本人ではなかったでしょうか？　この大多数の人々の願いが憲法を支えてきたのですから。

この憲法の平和主義と戦争放棄条項のおかげで、日本は、繁栄を享受してきました。安保やアメリカのおかげで日本は繁栄を享受してきたわけではありません。大事なことは、アメリカに押しつけられたかどうかではなく、当時の「戦争はもうたくさん！」という日本の庶民によって選ばれたのが、今の憲法だということです。

今、バブル期を経て、人々の心が荒廃し、子供の教育が破綻したことなど、日本の経済的・社会的ひずみを憲法のせいにする人々がいます。けれども決してそうではありません。これは、常に問題があった時、外因（状況とか他人とか、政治家とか親とか教師とか）に責任を転嫁する発想です。反省を込めていえば、日本の左翼運動も、その結果衰退したと言っても過言ではありません。

憲法や、アメリカの押しつけが悪いのではなく、己はどうなのか、そのことに向き合いながら生きてきたのか？　我々の生きざまが問われています。

今、憲法を変えようとする人々には、世界をもう一度しっかりと見てほしいと思います。

これから、アメリカの〝一人勝ち〟の時代は否定されていくでしょう。絶対的なものは、ある条件のなかでしか生をもちえませんから、アメリカも変革がない限り、衰退するでしょう。

パレスチナ問題のみならず、日本から世界へ発信する際の基準は、今こそ憲法九条の戦争放棄の精神を国是として、その哲学に基づいた外交政策へとつくりかえ、世界の軍縮・和平のイニシアチブをとることです。

この立場に立って国連で論戦する日本の姿勢を思い描いてみてください。

小国、弱い国、非同盟諸国はもちろん、パレスチナも、日本を範として支援するでしょう。常任理事国入りを根まわししている日本は、美しくありません。戦争・軍拡に、毅然と対決し、平和のために資金を出す日本である限り、望まなくても常任理事国入りが求められ、どこからでもリーダーシップを求められるでしょう。

私は、日本が、国連憲章の精神と憲法の精神に基づいて、呼びかけ、働きかけていくグローバルな国際新秩序形成の担い手であってほしい、と思います。美しい日本であってほしいのです。私が願う日本は、そんな国です。

私は、日本が好きです。

日本がよりよい国であってほしい、そんな願いから出発して、学生運動から党派活動へ、そしてアラブへ、またアラブから日本へと人生を重ねました。

私たちが闘いの未熟さのなかで、傷つけたり、切り捨てたり、被害を与えたりと、自覚していない罪もたくさんあると思います。

自分たちが見えずに闘っている時は傲慢で、限りなく人を傷つけたりしていることに、無自覚になってしまいます。

これまで私たちが闘いのなかで被害を与えてしまった人々に、謝罪したいと思います。謝罪の意思は、後悔ではなく、よりよい日本を求める世直しのなかに活かしたいと願っています。

誰でも自分の痛みは、とっても強く感じます。

人の痛みがわかる人は、それを自分の痛みとして、人にやさしくすることができます。

このやさしさは、慈悲です。

日本人の祖先がずっと培《つちか》い、はぐくんできた人間の最高の愛である慈悲は、とっても強《きよう》靭《じん》なものだと、昔、父が教えてくれました。

私は、人間が人間らしい源はそこにあると、いつも実感して生きてきましたから、父が昔言っていたことがよくわかります。やさしさとは、強さです。その強さこそ、二十一世紀の共生社会の武器となっていくでしょう。

国際社会のかけ橋として

あなたには、パレスチナやアラブの人々を愛するように、日本の人々とたくさん出会って愛してほしいと思います。

日本のなかに、パレスチナがきっとあるでしょう。

そして、人が人として信頼されるごとく、日本がこれからの世界で、国として信頼されるよう願います。そして、あなたが何か人々の役に立つことを、この日本の一角で果たしてくれたら、こんなに嬉しいことはありません。

私たちが、パレスチナ、アラブで、かつて銃をもって闘ったことは、この三十年の歴史のなかで、リッダ作戦の岡本戦士を政治亡命させるほど、忘れがたい友好と連帯の絆を、アラブ・パレスチナの人々との間に築き上げており、私はこれを誇りとしています。

二十一世紀に大切なことは、私たちが銃をもって築いてきたアラブ・パレスチナの人々との連帯を、もっと広く、もっと深く、もっと楽しいものにしていくことです。

誰にでも開かれた生活や、音楽や、人との出会いがあり、人は、いつでも国境を越えることができます。私には、民族は共生できるという実感があります。実際、私は、世界のあちこちで、国境に左右されない人間関係を築いてきました。

「自分を変えることなしに、世界は変えられない。自分を変えよう！　変われる、人々とともに変われる！」

そんな確信をもって、私が日本からアラブへ渡った道のりを、今、あなたは、アラブから日本への道のりとして、歩もうとしています。

人間らしく、自分のしたいことをしっかり実現していく。そうして再び、日本から世界へと、同時代の人々とともに羽ばたくあなたを夢想しながら、見守ります。

多くの同世代の友人たちとともに、愛と平和と民族共生の二十一世紀を！

解説

てっきりアラブに、もしくは世界のどこかにいると思っていた重信房子が、二〇〇〇年十一月八日、大阪で逮捕された。

〝シゲノブ〟これは、団塊の世代以上の人々には、若い頃に耳慣れた、ある種の感慨を呼びおこすであろう名前のはずだ。パレスチナ解放闘争に身を投じ、アラブの地で、パレスチナ解放人民戦線（ＰＦＬＰ）とともに数々の武装闘争を担った日本赤軍の最高指導者と言われた女性。

あの時代からすでに三十年、そんなことを知らない若い世代の人のために彼らの主な闘争を紹介する。

一九七二年五月三十日（リッダ闘争）　イスラエル・テルアビブ空港襲撃
一九七三年七月二十日（ドバイ闘争）　日航ジャンボ機ハイジャック
一九七四年一月三十日（シンガポール闘争）　シンガポールのベトナム戦争の燃料基地（製油所）を攻撃
一九七四年二月六日（クウェート闘争）　クウェートの日本大使館を占拠
一九七四年九月十三日（ハーグ闘争）　オランダ・ハーグのフランス大使館占拠
一九七五年八月四日（クアラ闘争）　マレーシア・クアラルンプールの米領事館、スウェーデン大使館占拠
一九七七年九月二十八日（ダッカ闘争）　日航機ハイジャック

日本赤軍が総勢何名かはもちろん明らかになったことはないが、思うにそんなに多い人数ではない。日本からアラブへの国際的義勇団なのだが、さすがに一九七〇年代初頭の、虐げられた民衆とともに、あるいは、思想的に正しく生きたいと今より較《くら》べようもなく多くの若者が願った時代であっても、銃をもち、命をかけるとなると、そんなに多くの人が飛び込めたわけではない。だからこそ、彼女の名前は、その思いを強くもつ人々に、思っ

てもできないことをやってくれた人として、記憶にのこった。

彼女の逮捕を報じる新聞に、多くの人々が、「時代の終焉《しゅうえん》」を語った。

私は、逮捕されたその日、大阪から警視庁に護送された彼女に会った。私自身もその「終焉」を感じないわけではなかったが、驚くことに、彼女は相変わらずのさわやかな笑顔で、これから始まる新たな関係に、心底希望をもっていた。強がりでも粋《いき》がりでもなく、国際指名手配犯として追われていた身であれば、会いたい人に会うことは自身の逮捕のみならず、会った人も犯人隠匿罪に問われるおそれがある。やっと晴れて会いたい人に会える——それは逮捕の悔しさと同じくらい晴れやかなものだったのかもしれない。

このとき、私は、念のため、外に待ち構えているマスコミが必ず聞くであろうことを聞いた。

「これからも武装闘争を続けますか」——彼女の答えは明快だった。

「私たちは今まで、その時代、その民衆が必要とする闘争をしてきた。今の日本はそれを必要としていない」

テロと民衆蜂起《ほうき》と国家による武力行使と戦争とは一体どこが違うのだろうか。

現在でも、アラブでは、イスラエルとパレスチナの武力衝突が絶えない。イスラエル軍によるミサイル攻撃で昨年九月から十二月までで計三六八名の民間人が命をおとし、これにパレスチナの人々は民衆蜂起（インティファーダ）として、投石で抵抗しつづけている。そしてイスラエルは国家であり、イスラエルからの攻撃は国家の正規軍による行為として正当化され、一方パレスチナはいまだ国家としては認知されず（パレスチナ自治区としての認知はあっても）、そこでの民衆の武力による抵抗は、その攻撃の大きさゆえに、正当性を確保しえている。よって、ここでの戦闘行為がパレスチナ人によるものである限り、彼らは刑事法廷で裁かれることはないであろう。

同じように、一九七〇年代のＰＦＬＰが指導した数多くの武装闘争を、パレスチナ人は、これを支持しつづけることはあっても、二十年以上経《た》って刑事罰の対象とすることはない。実際、重信さんと同じ時代、ハイジャックの女王と言われたライラ・ハリドさんは、刑事罰を科されることなく、現在はパレスチナの国会議員として活躍している。

同じことを日本人が行うとどうなるのか。日本国はたとえそれが我が国を攻撃するものでなくても（我が国の法益を侵害しなくても）、遠く離れた外地での行為であっても、日本国民である限り、どんな遠いところにいても、日本国はこれを日本国民を処罰しうる。

刑事処分の対象とし、加えて、日本国にいない限り時効は進行しない。故にいつまで経っても刑事罰の対象から逃れることはできない。

岡本公三さんは一九七二年イスラエル・テルアビブ空港で、イスラエル人を百名死傷させたとしてイスラエルによって逮捕され終身刑となったが、本書にあるように一九八五年、戦時捕虜交換に関するジュネーブ条約によって、イスラエルから釈放された。これは国際赤十字が仲介したものであり、国際社会においては戦時における捕虜釈放として無罪放免となったはずであるが、日本政府は、あくまで「殺人犯」として国際指名手配をつづけている。

岡本さんは依然として、日本に帰国すれば、極刑すら予想される刑事犯なのである。彼は、イスラエルではなくて日本からの刑罰——政治弾圧を逃れるために、レバノンへ政治亡命するしかなかった。

重信さんは一九七四年、オランダ・ハーグのフランス大使館占拠事件によって、国際指名手配となり、二〇〇〇年十一月逮捕された。今後、彼女がこれにいかに関わり、あるいは関わっていないのか、さらにその時代、その民族が必要とした闘いを、日本国が二十六年以上も経ってから裁くことの不当性も、法廷で明らかにされていくであろう。

ところで、重信さんは逮捕時、一枚の写真をもっていた。女性二人が日の出を拝んでいる。女性らは後ろ姿で顔はわからない。押収品目録で明らかになったこの写真について、いつ逮捕されるかわからない人が、誰の写真をもっていたのかと、私は接見室で確認した。これは、娘と自分が世紀末の初日の出を拝んだとき、その後ろ姿を撮って、いつか娘が自分の子供であることを証《あか》すために二人で一枚ずつもっていたものだという。

母はイスラエルからテロリストとして命を狙われ、日本国からは国際指名手配されていた。娘の身の安全のためにも母子の関係を隠しつづけてきた二十七年、その結果、娘を長く無国籍のままに置いてきてしまった。しかし、いよいよ明かすしかないと思い始めていたときの逮捕だった。

取調べが一段落した十二月二十六日、世田谷区役所に出生届を提出。病院の出生証明書はアラブにいた娘が、これは大事なものだからと母から預かり、もっていた。三月一日法務局の戸籍係が、真実本人が出産したかどうかの確認のため警視庁に赴き、出産時の状況についての詳細な質問をした。そして、三月五日メイさんは重信さんの子供として日本国籍を得、戸籍に記載された。

私は、メイさんの国籍取得と入国手続きのために二〇〇一年春、レバノンに行った。メイさんは母親そっくりの強い正義感をもった心の優しい人だった。彼女は、母を誇りに思い、尊敬していると美しい日本語で語り、母への深い思慕をつのらせていた。

私はその機会にレバノンに政治亡命している岡本公三さんに会った。

岡本さんはベイルート市内で日本とレバノンの若者ら数名で共同生活をしていた。彼は、自由に暮らすことができるようにはなったが、体をこわし、常時、人のケアが必要である。このケアをパレスチナの英雄を守ろうとするレバノンの若者と、日本から来た若者が共に生活しながら担っているのである。

私は、そのうちの一人の関西弁を聞き、重信さんが数年前にこっそり帰国し、逮捕の危険をおかしても、人と会っていたことの意味がわかった気がした。彼女は、岡本さんを支えてきた同志らが逮捕され、彼らに代わって岡本さんを支え続けてくれる日本人を捜しに帰国していたのだ。

ケアを必要とする人を、生涯ケアしつづけようとするのは、並大抵のことでできるものではない。彼らの共同生活は、まさに家族——ファミリーとしてのそれとしか言いようがなかった。

正月明けの岡本さんの部屋は、日本人が忘れかけている古き良き時代の庶民の正月そのままだった。めでたいものを置き、書き初めのお習字が飾られ、七草、鏡開きと日本の季節の行事があった。

この部屋に入ったとき、私は、十一月、重信さんが大阪で隠れ住んでいた部屋を片付けに入ったときと同じ感慨をもった。大阪の重信さんの部屋も、壁にはほおずきが飾られ、ベランダにはざるに入ったぎんなんが干され、部屋の主の季節感と生活感の豊かさを感じさせた。

家族を愛し、同志を愛し、民族を愛し、自分の民族を愛する人々を愛し、それらの総体としての抽象的ではない、具体的な人々・民族の集合である人類を愛し、生きとし生けるものを愛す——テロリストと呼ばれた女性の、その愛の深さと広さは、決して私が彼女の弁護人であるがゆえに感じたものではないと思う。

本書は、娘メイの国籍取得のために出生届を提出した二〇〇〇年十二月二十六日から、法務局戸籍係が警視庁に真実出生の有無を確認するための接見に赴いた二〇〇一年三月一日までの間、警視庁留置場で書きつづけた法務局宛の上申書である。机もなく、床にはいつくばるようにして、しかも、資料と筆記用具を同時に房内で所持できないという不当な留置規則のなか、驚異的な記憶力とスピードで書きつづけた。
　そして、四月三日、メイさんは生まれて初めて母の国日本に入国する。

大谷恭子（弁護士）

二〇〇一年三月三十一日　ベイルートにて

本書は重信房子本人が、娘メイの国籍取得のために出生届を提出した2000年12月26日から、法務局戸籍係が警視庁に真実出生の有無を確認するための接見に赴いた2001年3月1日までの間、警視庁留置場で書き続けた法務局宛の上申書である。

［カバー・口絵写真］著者私物

［装幀］平川　彰（幻冬舎デザイン室）

［協力］四谷共同法律事務所

りんごの木の下であなたを産もうと決めた

2001年 4月23日　第1刷発行
2022年 5月30日　第3刷発行

著　者　重信房子
発行者　見城 徹

発行所　株式会社 幻冬舎
〒151-0051　東京都渋谷区千駄ヶ谷4-9-7
電話　03-5411-6211（編集）
03-5411-6222（営業）
振替　00120-8-767643

印刷・製本所　中央精版印刷株式会社

検印廃止

ISBN4-344-00082-X C0095

幻冬舎ホームページアドレス https://www.gentosha.co.jp/

この本に関するご意見・ご感想をメールでお寄せいただく場合は、comment@gentosha.co.jpまで。